HITLER

Fernando Jorge

HITLER

RETRATO DE UMA TIRANIA

9ª EDIÇÃO

GERAÇÃO

Editor e Publisher
Luiz Fernando Emediato

Diretora Editorial
Fernanda Emediato

Assistente Editorial
Adriana Carvalho

Capa e Projeto Gráfico
Alan Maia

Diagramação
Kauan Sales

Preparação
Paulo Schimidt

Revisão
Débora Mathias
Layla Nascimento

DADOS INTERNACIONAIS DE CATALOGAÇÃO NA PUBLICAÇÃO (CIP)
(Câmara Brasileira do Livro, SP, Brasil)

Jorge, Fernando,
Hitler, retrato de uma tirania / Fernando Jorge. -- São Paulo :
Geração Editorial, 2012.

ISBN 978-85-61501-78-5

1. Alemanha - Política e governo - 1933-1945 2. Chefes de
Estado - Alemanha - Biografia 3. Hitler, Adolf, 1889-1945
4. Nacional socialismo I. Título.

11-12499   CDD: 943.086092

Índices para catálogo sistemático

1. Alemanha : Chefes de Estado : Biografia   943.086092

GERAÇÃO EDITORIAL

Rua Gomes Freire, 225 — Lapa
CEP: 05075-010 — São Paulo — SP
Telefax.: (+ 55 11) 3256-4444
Email: geracaoeditorial@geracaoeditorial.com.br
www.geracaoeditorial.com.br

Impresso no Brasil
Printed in Brazil

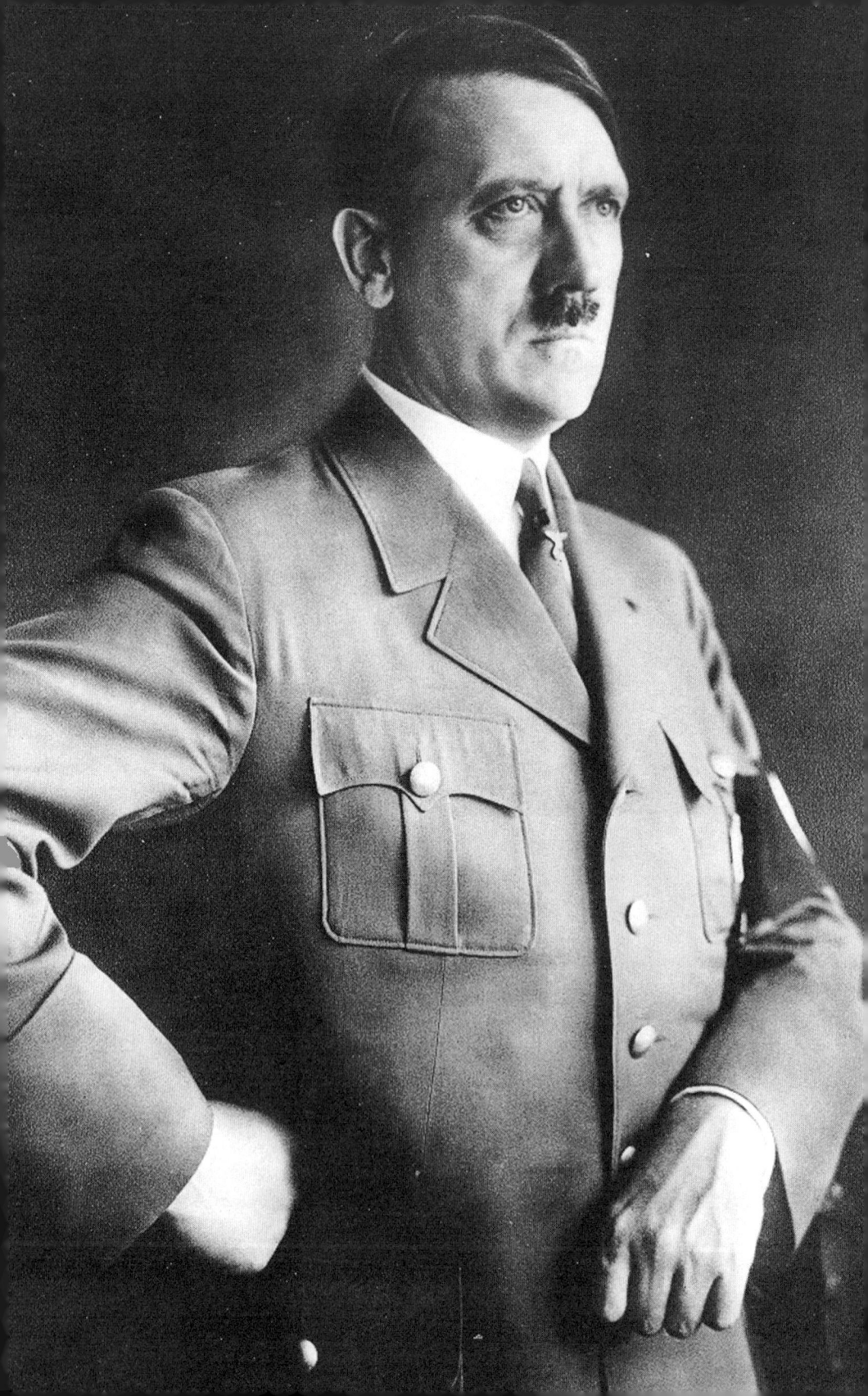

SUMÁRIO

PREFÁCIO

Caricatura traçada com sangue

Em 1963, na rua São Bento, em São Paulo, o então jovem escritor Fernando Jorge encontrou um amigo, o também escritor e político Israel Dias Novaes, diretor do Banespa e do jornal *Correio Paulistano*.

Os dois foram juntos a um café de esquina, onde Israel, conhecedor da predileção de Fernando por História, recomendou-lhe certo livro que lera recentemente. Tratava-se de uma biografia de Adolf Hitler, recém-publicada no Brasil, escrita por um autor alemão chamado Herman Zumerman (não Hermann Zummerman, na grafia alemã correta). O título dessa obra era *Hitler – Anatomia de uma tirania*, e na nota do editor dizia o seguinte:

> *O crítico Alfred Belsen escreveu, a propósito deste livro: "Zumerman é, indiscutivelmente, um grande escritor. Seu estilo é excelente, muito agradável, saboroso. Consegue prender a atenção do*

leitor do começo ao fim. Hitler – Anatomia de uma tirania *pode ser considerado, com justiça, o maior livro que apareceu, nestes últimos tempos, sobre o homem monstruoso que desencadeou, no mundo, a Segunda Grande Guerra".*

Animado, Novaes elogiou o livro, por sua clareza de estilo e abrangência da pesquisa realizada, mas sobretudo pela tradução ímpar, creditada a um certo Raul Rodrigues.

Ao ouvir isso, Fernando Jorge caiu na gargalhada, e, diante da perplexidade do amigo, soltou esta bomba:

— Herman Zumerman sou eu!

O livro, na verdade, fora escrito em português pelo próprio Fernando, e publicado sob pseudônimo, por imposição de seu editor, o judeu búlgaro Eli Behar. Na realidade editorial brasileira de então, autores estrangeiros vendiam mais que os nacionais, de modo que Herman Zumerman, o crítico Alfred Belsen e o tradutor Raul Rodrigues haviam sido todos inventados por Behar, numa época sem internet, em que tais imposturas passavam facilmente por verdades.

O próprio Fernando Jorge conta, a respeito disso:

"Eu não queria de modo algum publicar o livro com outro nome que não o meu, mas o editor me fez uma proposta boa demais, e como eu ganhava muito pouco na Assembleia, havia acabado de me casar e precisava desesperadamente do dinheiro, acabei aceitando."

Esta é a nova edição corrigida e atualizada — inclusive no subtítulo — de uma das primeiras biografias de Hitler escritas por brasileiro. A raridade dela é ainda maior pelo fato de que escrever sobre a vida de alguém, falar dos seus pais, sua infância e vicissitudes, é humanizar esse alguém, e na década de 60 o Führer não era considerado um homem, e sim a encarnação do mal.

A distância do pós-guerra, bem como novos estudos históricos conduzidos com mais critério que emoção, têm possibilitado uma compreensão melhor da pessoa do líder austríaco, despojando-o do elemento sobrenatural e julgando-o no contexto de seu próprio tempo. O que em nada altera o fato de ele ter sido um monstro. Não o diabo, apenas um homem, sim, embora o pior de todos que já comandaram numa superpotência.

Poucos personagens históricos são tão indefensáveis quanto o Führer do Terceiro Reich. Com uma mistura de maquiavelismo político, monomania e falta de escrúpulos, ele seduziu uma nação, apelando aos seus instintos mais primitivos e mesquinhos, precipitou o maior conflito armado de todos os tempos e causou milhões e milhões de mortes. Nenhum outro indivíduo foi diretamente responsável por tanta destruição, a tal ponto que, para chamar um personagem público de ogro autoritário e/ou criminoso, basta pintar-lhe um bigodinho de Hitler numa foto. Nenhum outro ditador se enquadra tão bem nas características principais do psicopata, segundo o Ato de Saúde Mental do Reino Unido de 1983:

A) Incapacidade de estabelecer relacionamentos afetivos (Hitler amou somente a sua mãe e a sua cadela, à qual fez a suprema caridade de envenenar quando se suicidou).

B) Propensão a ações altamente impulsivas e irracionais (a marca registrada da trajetória política dele, cujo sucesso inicial se deveu a uma capacidade suprema de manipulação mesclada a uma ideologia antissemita sem qualquer base factual).

C) Falta de sentimento de culpa ou de responsabilidade pelas próprias ações.

D) Incapacidade de aprender de experiências adversas.

Entretanto, para quem ignora quem ele foi e todo o mal que causou, Hitler parece apenas ridículo, com seu bigode quadrado, topete pré-emo e gestual furibundo. Seus contemporâneos, antes que ele

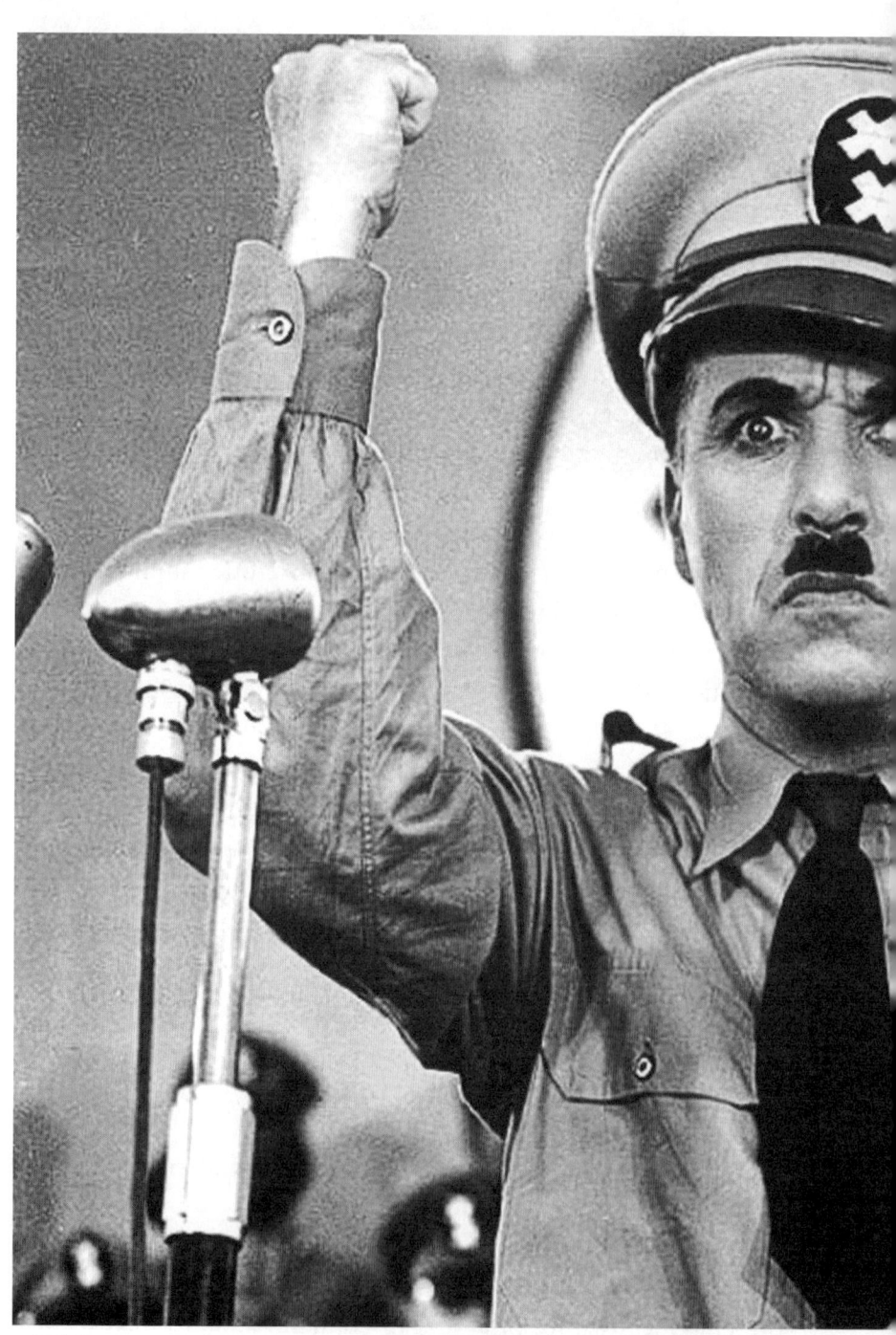

Os elementos profundamente ridículos da figura e do gestual de Hitler não escaparam ao genial Charlie Chaplin, que o satirizou na sua comédia clássica *O grande ditador*

chegasse ao poder, achavam-no esquisito e algo excêntrico, mas ino-fensivo. O genial Charlie Chaplin foi um dos primeiros a explorar a qualidade truanesca da pessoa do Führer, ao retratá-lo na melhor sátira política da história do cinema, *O grande ditador*, de 1940.

De fato, quase todos os ditadores são caricaturas vivas. Não só Hitler parecia um Carlitos mal-humorado, como seus amigos Sta-lin, Mussolini e Franco eram nanicos; o Duce, em particular, não passava de um tampinha cabeçudo, de uniforme extravagante e metido a machão. A verdade é que, precisamente por serem carica-tos e caricaturáveis, esses homens perseguiram tão avidamente o poder, como forma de superar seus monumentais complexos de in-ferioridade. Porque maçantes, não foram considerados perigosos, e isso possibilitou que se tornassem caricaturas desenhadas com san-gue, em virtude do poder mortífero que vieram a abocanhar.

Finda a guerra, com a extensão dos crimes nazistas revelada e as imagens aterradoras do Holocausto divulgadas, o chocado pú-blico parou de rir do topete do Führer e, pulando para o outro extremo, fez dele um bicho-papão. Aos sobreviventes dos campos de extermínio não bastava mais o escárnio, era necessária a exe-cração aos assassinos. Assim, o líder nazista tornou-se tabu, uma figura tão nefasta, que quanto menos se falasse dele, melhor. Rela-tivamente pouco se escreveu sobre a sua vida — à exceção de *Hi-tler: a study in tyranny*, do inglês Alan Bullock, publicado em 1952 — pois, como eu já disse, biografar é humanizar, e ninguém que-ria saber de um Hitler humano. Traumatizada pelo delírio nazista que a destruiu, a Alemanha só gerou a sua primeira grande bio-grafia do Führer, escrita por Joachim Fest, em 1973, dez anos de-pois desta de Herman Zumerman, aliás, Fernando Jorge.

Talvez a obra cinematográfica mais típica desse processo de sa-tanização seja o filme baseado num romance de terror, *Os meni-nos do Brasil*, em que a mera existência de clones infanto-juvenis do Führer constitui uma futura ameaça ao planeta. Não por acaso, o autor desse livro foi o judeu nova-iorquino Ira Levin, competente criador de diabos, dentre os quais o mais notório (e assustador) foi *O bebê de Rosemary.*

Uma tentativa corajosa e impagável de ridicularizar essa demonização de Hitler, reconduzindo-o à sua condição caricatural, foi o filme de 68 (depois adaptado como musical) *Primavera para Hitler*, onde o cineasta Mel Brooks, embora judeu, o retrata como uma simpática bicha louca de uma peça propositalmente destinada a chocar a Jew York do pós-guerra, mas que, contra todos os prognósticos, se torna um retumbante sucesso.

Esses filmes foram, no entanto, exceções à regra: controlada por judeus, Hollywood basicamente ignora Hitler até hoje. Nas décadas de 70-80, o Führer foi protagonista de algumas produções europeias de baixo orçamento, ainda que com atores da estatura de Alec Guinness e Anthony Hopkins. O telefilme inglês de 2003, *Hitler – A ascensão do mal*, repisa a imagem do tirano em seus primórdios como um jovem monstro desprovido de qualquer humanidade.

No ano seguinte, porém, o excelente filme alemão *Der Untergang*, sobre as últimas horas do Führer, chocou milhares de espectadores ao caracterizá-lo não como o energúmeno que vemos nos documentários, vociferando feito um possesso em um microfone, e sim como um homem frágil, precocemente envelhecido e com avançado mal de Parkinson, que dispensa pequenas gentilezas às secretárias e agradece à cozinheira pela última refeição. Se para os parentes dos mortos em Auschwitz e Dachau o Hitler Carlitos havia perdido a graça, o Hitler que diz "obrigado" era intolerável. Mesmo pessoas sem cicatrizes da monstruosidade nazista, mas conhecedoras de sua extensão, reagiam de forma muito passional a qualquer tinta menos negra no retrato do genocida-mor do Ocidente. É como se temessem o menor grau de identificação com tão assombroso personagem. A ilação inconsciente que se faz nesse caso é: "Se ele era humano como eu, eu posso ser um monstro como ele".

Não há utilidade alguma em reduzir Hitler a um bigodinho tolo, muito menos em elevá-lo a Príncipe das Trevas. É importante preservar a dimensão humana do Führer para não nos esquecermos que ele não foi um fenômeno isolado e que, portanto, pode muito bem ressurgir em qualquer lugar, a qualquer momento, na pessoa de qualquer ditador ressentido e carismático. Se a trajetória do líder nazista nos serve de algo, é para nos alertar contra líderes políticos e religiosos contemporâneos de viés populista, considerados inofensivos precisamente pelo elemento algo burlesco, bonachão ou até cômico em suas personalidades, na sua aparência ou modo de falar, mas que, uma vez dotados de poder, seja por meio de eleições, roubo ou golpe de estado, não hesitarão em tirar o chapéu-coco e envergar a suástica.

Conhecer a história de Hitler e do nazismo nos dota de um termômetro para auferir a temperatura antidemocrática dos nossos próprios governos. Acaso temos políticos afeitos ao personalismo? Que violam sistematicamente promessas de campanha, ou que, por mais democráticos que se autodefinam, entregam-se a arroubos autoritários, exasperam-se com críticas e procuram a todo custo calar a imprensa, o TCU e outros órgãos vigilantes do regime democrático? Que são amigos de ditadores? Que gritam e gesticulam demais em comícios, a fim de usar o povo ignorante como massa de manobra? Se a resposta for afirmativa para alguma dessas perguntas, não estamos muito mais seguros que a República de Weimar, e todo cuidado é pouco.

A vingança de
um louco faz
oscilar o mundo!
VICTOR HUGO

O pequeno Adolf, aos
dezoito meses de idade

1

Os pais de Hitler

O povoado de Branau, às margens do rio Inn, se encontra a cento e dois quilômetros a oeste de Linz. Devia ter, na época em que Hitler nasceu, mais de três mil habitantes.

Braunau era uma localidade tranquila, enquanto Linz, capital da Alta Áustria, oferecia muito maiores atrativos, pois se mostrava um centro cultural de primeira grandeza.

Hitler nutria mais amor a Linz do que a Braunau. Entretanto, foi neste humilde povoado que ele veio ao mundo, no dia 20 de abril de 1889, precisamente às seis e meia da tarde. Abriu os olhos pela primeira vez numa hospedaria, a Gasthof zum Pommer.

Alois, o pai de Adolf, era filho ilegítimo. Quem o educou quando ele perdeu a mãe, aos dez anos, foi o seu tio Johann Nepomuk. Um dos seus parentes lhe ensinou o ofício de sapateiro remendão. Mas Alois, sujeito trêfego, deixou Spital, onde vivia com o tio, e rumou para Viena. Levava apenas três florins. Na bela cidade banhada pelo Danúbio continuou a exercer a profissão de sapateiro, até que em 1855 entrou no Serviço Austríaco de Aduanas. Nove anos depois, ganhou um posto de assistente no *bureau* principal das aduanas de Braunau. Após esta nomeação, contraiu matrimônio com Anna Glasl-Hörer, filha adotiva do funcionário aduaneiro Josef Hörer. Sua esposa era quatorze anos mais velha do que ele. Ao que tudo indica, Alois a desposou por interesse. Queria elevar-se na escala social e receber o modesto dote. Não teve filhos dessa união, que terminou em divórcio, pronunciado pelo Tribunal de Braunau.

Um mês após o falecimento de Anna, o austero funcionário casava-se com Franziska Matzelberger, uma jovem cozinheira de hotel, que lhe havia presenteado com um filho antes do matrimônio e que, três meses depois do consórcio, lhe deu também uma filha.

Transcorrido um ano, Franziska morreu tuberculosa, tal como tinha se passado com a primeira esposa de Alois.

Meio ano depois, voltou a se casar. Desta vez com Clara Pölzl, que era vinte e três anos mais jovem que ele. Clara havia nascido em Spital, sendo sobrinha em segundo grau de Alois. Devido a este fato, foi necessário obter licença eclesiástica para o enlace. No Arquivo Episcopal de Linz se encontra a petição redigida pelo impecável funcionário imperial:

Eminência,
   Os abaixo assinados estão decididos a se casar. Porém, ao teor da árvore genealógica que se anexa, se mostra o obstáculo canônico do parentesco em terceiro grau, confinado com o segundo. Por este motivo, dirigem o humilde rogo de que Vossa Eminência haja por bem conceder-lhes a dispensa, e isto pelos seguintes motivos:
   O noivo é viúvo de segundas núpcias desde 10 de agosto do corrente ano, pai de dois filhos de menor idade, um menino de dois

anos e meio (Alois) e uma menina de um ano e dois meses (Angela), para os quais necessita urgentemente de uma pessoa que possa cuidá-los, uma vez que por seu cargo de aduaneiro se vê obrigado a passar muitos dias, e inclusive noites, fora de sua casa, e portanto não pode cuidar nem vigiar a educação de seus filhos. A noiva assumiu já o cuidado das crianças, desde a morte da progenitora deles, e sempre lhes mostrou um grande afeto, de modo que não parece existir nenhum obstáculo para que atenda ao trato e à educação de ambos e, além do mais, realizar um matrimônio feliz. Acrescente-se que a noiva não dispõe de bens de nenhuma espécie e, por conseguinte, não se lhe apresentaria tão depressa uma outra oportunidade como esta para contrair um casamento decente.

Apoiados nestas razões, repetem os humildes signatários seu rogo para que lhes seja concedida a dispensa do mencionado obstáculo de parentesco.

Braunau, 27 de outubro de 1884.

— Alois Hitler — noivo,
— Clara Pölzl — noiva.

Conforme se deduz desta solicitação, Alois tinha receio de que as autoridades eclesiásticas proibissem o casamento. Em vista disso, procurou argumentar com habilidade, dando a entender que o consórcio com a sua sobrinha só poderia trazer benefícios aos dois e melhor amparo aos rebentos do seu matrimônio precedente.

O pedido de dispensa foi transmitido a Roma pelo Bispado de Linz. A Santa Sé enviou autorização e, a 7 de janeiro de 1885, Alois casava-se com Clara Pölzl.

A cerimônia das terceiras núpcias de Alois Hitler define bem o seu temperamento. Teve início com um almoço do qual apenas participaram o noivo e suas duas testemunhas: o médico Dierenhofer e o brigadeiro de aduanas Hegel. Logo após se dirigiram para a igreja e, depois do meio-dia, Alois retomava o seu trabalho de funcionário...

No mesmo ano de 1885, nasce o primeiro filho, que recebe o nome de Gustavo, morrendo em pouco tempo. No ano seguinte, Clara deu à luz uma menina, chamada Ida, que falece aos dois anos. Em 1887, Alois ganha outro filho, chamado Otto, que expira ao cabo de três dias do seu nascimento.

Todos esses óbitos prematuros talvez sejam consequência do matrimônio consanguíneo, efetuado entre parentes muito próximos.

Seja como for, o fato é que Adolf, o quarto filho, nascido em 20 de abril de 1889, conseguiu sobreviver, embora fosse muito débil. A mãe vivia com medo de perdê-lo, pois o futuro chefe do Partido Nacional-Socialista foi uma criança frágil, enfermiça.

O pai de Hitler era um homem corpulento, de estatura mediana. Tinha um caráter rude, áspero e mal-humorado. Mostrava-se estúpido, brutal, quando discutia com a esposa. Suas barbas tremiam violentamente e o olhar enérgico, voluntarioso, parecia despender fagulhas.

Clara Pölzl, ao contrário do marido, possuía um gênio dócil e submisso. Sua semelhança fisionômica com Hitler era notável. Exibia os mesmos olhos penetrantes, o mesmo semblante de traços regulares.

Dotada de extrema paciência e grande espírito de resignação, sofria calada os destemperos do irascível esposo. Uma ocasião, porém, confessou a August Kubizek, um bom amigo do seu filho Hitler:

— Meu casamento não foi aquele que uma jovem espera e deseja.

E logo acrescentou:

— Todavia, quem tem esta sorte?

À medida que avança em idade, o zeloso burocrata vai aumentando os seus momentos de ócio nos cafés. Enquanto discute com amigos a dissolução do Estado Imperial dos Habsburgos ou a ação política de Bismarck, ele fica a beber horas e horas seguidas. Torna-se então necessário que Clara mande o pequeno Adolf chamar o pai. O menino entra no recinto enfumaçado e repete, como nas vezes anteriores, esta frase:

— Pai, é preciso voltar para casa... vem...

Adolf, inúmeras ocasiões, tinha de insistir meia hora com o progenitor. Por fim, a assacar injúrias, ele levantava-se e, apoiando uma das mãos no filho, saía meio vacilante. Atravessavam as ruas desertas, adormecidas no silêncio noturno, como dois personagens de um conto de Hoffmann.

Ainda que Alois bebesse tanto como diversos austríacos de boa saúde, o filho desde cedo experimentou irreprimível aversão pelo álcool, enxergando nele um veneno lento, corrosivo, destruidor da vontade e da inteligência.

O pai de Hitler, apesar de tudo, gozava fama de ser um funcionário meticuloso e honesto.

"Como superior — informa um memorialista — Alois Hitler não era certamente apreciado. Nas horas livres de serviço o descreviam como homem muito liberal, que não ocultava de forma alguma as suas convicções. Alois Hitler sentia-se bem orgulhoso da sua categoria de funcionário. Com pontualidade profissional apresentava-se em Leonding para beber sua dose diária pela manhã. De noite, em torno da mesa dos seus amigos, era um convidado benquisto, mas podia excitar-se facilmente e mostrar-se grosseiro, quando se mesclavam, dentro dele, a sua natureza passional e a severidade adquirida no exercício da profissão."

Esse escrupuloso burocrata gostava de ser fotografado no seu uniforme de gala com calças brancas e jaqueta escura, na qual ostentava uma dupla fileira de botões reluzentes. Também não se esquecia de colocar em cima de um móvel o amplo e espalhafatoso chapéu de brigadeiro das aduanas austríacas, emblema da sua personalidade pomposa e atrabiliária.

Adolf com dez
anos de idade

2

O menino Adolf entra para a escola

Aos cinquenta e oito anos, em 1895, o pai de Hitler retirou-se do serviço de aduanas.

Adolf, que nessa época contava seis anos, ingressou na escola municipal de Tischlham, perto de Lambach, na Alta Áustria.

O seu primeiro professor chamava-se Karl Mittelmaier. Viu que Hitler era um garoto muito vivo, esperto, mas algo inquieto. Tinha rosto pálido e constituição fraca, porém se mostrava obediente e cumpria ao pé da letra os seus deveres escolares.

Entrava na escola depois do meio-dia, em companhia de sua meia-irmã Angela. Os filhos de Alois estavam sempre bem vestidos e isto fazia com que se distinguissem entre as outras crianças.

A fim de que os dois pudessem evoluir nos estudos, Alois resolveu instalar-se em Lambach, cidade famosa pela sua venerável Abadia dos Beneditinos, que é um vetusto edifício, onde existe rica biblioteca e uma não menos célebre coleção de quadros.

Adolf frequentou a escola municipal de Lambach e o doutor Franz Rechberger, diretor do estabelecimento, ficou entusiasmado com os progressos crescentes do menino. Ele só tirava boas notas. Rechberger descobriu, inclusive, que o rapazinho tinha uma bela voz. Fê-lo ingressar no coro de jovens cantores, dirigido pelo padre Bernhard Grüner. Além de cantar no coro, como um serafim, o futuro inimigo dos judeus tornou-se coroinha.

Podemos vê-lo no seu serviço, muito compenetrado das suas funções, a conduzir círios acesos, apresentando as galhetas ao subdiácono, pondo o Evangelho no altar.

Quem o visse ajoelhado diante da imagem de Cristo, dificilmente poderia imaginar que aquele menino prestativo, religioso, de fisionomia iluminada e corpinho franzino, iria transformar-se no inclemente adversário da democracia, no desalmado e implacável perseguidor da raça israelita...

Contemplando a encantadora igreja de Lambach, cujos altares foram magnificamente decorados pelo pintor Joachim Sandrart, artista predileto do duque de Buckingham, o menino Adolf Hitler sonhou em ser, mais tarde, abade desse convento de beneditinos.

Que sonhos! Este foi, durante certo tempo, o único ideal da criatura que um dia teve a imensa ambição de querer esmagar a Rússia, vencer a Inglaterra e implantar, pela força bruta, a supremacia da raça ariana...

O período de fervor católico durou pouco, no entanto. Teve fim quando o menino encontrou uma narrativa popular, em dois volumes, do conflito franco-prussiano de 1870. Ele se encheu de admiração pelos objetivos políticos de Bismarck. Que maravilha! O Chanceler de Ferro, graças à sua vontade inquebrantável, conseguiu fundar o império alemão sob a hegemonia prussiana. Era favorável a um socialismo de Estado para lutar contra a propaganda marxista. Soubera fazer de Napoleão III o seu cúmplice involuntário, a fim de unificar a Alemanha. A própria *Kulturkampf* de

Bismarck, isto é, a guerra religiosa que ele empreendeu contra os católicos, pareceu justificável aos olhos do jovem Hitler.

Causou-lhe entusiasmo o "plano de conjunto" traçado pelo general Moltke. Não cessava de louvar-lhe a precisão matemática. As vitórias de Vissembourg, de Fraeschwiller e sobretudo de Sedan, que custou à França dezessete mil mortos ou feridos, além de cem mil prisioneiros, inflamaram os instintos belicosos do menino Adolf.

A partir daí o garoto austríaco começou a sentir-se empolgado pela Alemanha. Organizava batalhões de pirralhos, simulando pelejas sangrentas, nas quais desempenhava o papel de chefe dos prussianos. É desnecessário dizer que ele sempre vencia as "tropas" francesas...

Em 1898, Alois se transfere para Leonding e o filho entra na quarta classe da escola municipal. O professor Sixtl informou, posteriormente, que ele conhecia mais História e Geografia do que alguns mestres.

A Guerra dos Bôeres[1] também apaixonou o pequeno Hitler, que, junto de outros meninos, fingia ser o chefe dos bôeres, sempre a infligir tremendas derrotas aos ingleses.

No ano de 1900, Adolf se torna aluno da Escola Profissional de Linz, conhecida pelo nome de Realschule.

Linz, velha cidade situada à margem direita do Danúbio, sede de Bispado, mostrava aos curiosos seu antigo castelo, a bela igreja de Santo Inácio, sua grande praça e um agradável passeio enfeitado de plátanos.

---

[1] Confrontos armados na atual África do Sul, que opuseram os colonos de origem holandesa e francesa, os chamados bôeres, ao exército britânico, que pretendia se apoderar das minas de diamante e ouro recentemente encontradas naquele território. Como resultado das guerras, os bôeres ficaram sob domínio britânico, sob a promessa de autogoverno.

Na escola de Linz o rapazinho obteve péssimas notas em matemática. O conselheiro Hans Commenda, diretor do estabelecimento, classificou-o como "não apto". E Max Engster, mestre de História Natural, também o reprovou. A Engster sucedeu o professor Theodor Gissinger, que emitiu a respeito de Hitler um juízo sincero:

"Hitler não se manifestou perante a minha pessoa, em Linz, num sentido favorável ou desfavorável. Não era muito menos, de modo algum, a cabeça mais notável da classe. Sua figura era esbelta e sobranceira, seu rosto quase sempre pálido e muito delgado, quase como o de um enfermo dos pulmões; seu olhar, extraordinariamente aberto; seus olhos, resplandecentes."

O mocinho só alcançava notas boas em Canto, Ginástica, Desenho, Geografia e História. Ele próprio chegou a escrever, numa hábil tentativa de explicar tais contratempos, que decerto lhe haviam ferido o incipiente orgulho:

"A única coisa segura, em princípio, era o meu fracasso na escola. O que eu gostava, aprendia, sobretudo aquilo que em minha opinião me poderia ser útil mais tarde como pintor. O que me parecia desprovido de transcendência, o que não me atraía, eu sabotava sem contemplações. Meus boletins de notas dessa época mostram, segundo o objeto e sua apreciação, valores sempre extremos. Ao lado de 'notável' e 'excelente', se encontra também 'apto' e 'não apto'. Minhas melhores qualificações eu as tinha, quando muito, em Geografia, e ainda mais em História Universal, meus dois cursos favoritos, nos quais superava o resto da classe."

Navratil, professor de desenho, soube avaliar com nitidez os dotes artísticos de Hitler.

Houve um mestre, contudo, que exerceu uma grande ascendência no espírito do jovem austríaco. Chamava-se Leopold Pötsch e era professor de História.

Pötsch era um germanófilo exaltado, que detestava a Casa dos Habsburgos. Alimentava paixão pela Alemanha e enaltecia, com

Casa da família de Hitler em Leonding, na Áustria

Alois e Clara, pais de Hitler, eram também tio e sobrinha

arrebatamento, os atos heroicos do seu passado. Tinha aparência de indivíduo decidido e sabia ser eloquente. Essas qualidades impressionaram vivamente o rapazinho, que enxergou neste homem desconhecido um modelo de virtudes morais e patrióticas.

O professor Eduard Huemer ensinou-lhe alemão e francês. Por mais incrível que pareça, quando cursava a terceira classe, Hitler recebeu em alemão um "não apto".

Huemer deixou-nos suas impressões sobre o ex-aluno:

"Hitler era sem dúvida um moço capacitado, ainda que de maneira unilateral. Revelava, porém, pouco domínio sobre si mesmo. Pelo menos todos o consideravam rebelde, voluntarioso, obstinado e colérico. Era evidente que se lhe tornava difícil adaptar-se ao regulamento de uma escola. Tampouco se mostrava aplicado. Caso contrário, em consequência de suas indiscutíveis aptidões, teria logrado obter resultados muito melhores."

Recordando essa fase de sua existência, Hitler disse que teve oportunidade de participar das lutas de nacionalidades na antiga Áustria. Preferia cantar, junto de outros jovens, o "Deutschland Ueber Alles" do que o "Kaiserlied" austríaco. Não se importava com ameaças nem com castigos. Em curto espaço de tempo se transformara num fanático nacionalista alemão. Aos quinze anos, segundo declarou, já sabia discernir a diferença entre o "patriotismo dinástico" e o "nacionalismo popular".

Quase todos os seus professores de Linz eram nacionalistas alemães moderados. Franz von Sales Schwarz, lente de religião e conselheiro eclesiástico, constituía uma das exceções do corpo docente. Hitler sustentava debates acalorados com ele. Certa feita, querendo irritar o seu espírito conservador, chegou à sala de aulas sobraçando uma obra de divulgação a respeito das teorias de Darwin. E quis afirmar, perante o religioso mestre, que o homem descende do macaco. A sua ousadia e irreverência quase lhe custaram a expulsão da escola.

Mas apenas Leopold Pötsch iria merecer, posteriormente, louvores e respeito do endiabrado Adolf:

"Foi quiçá decisivo para toda a minha vida que o destino me desse um mestre de História que era um dos poucos que sabiam fazer valer este ponto de vista (reter o essencial, olvidar o primário), tanto nas aulas como nos exames. Esta ambição estava encarnada de maneira quase ideal no meu antigo professor, doutor Leopold Pötsch, da Escola Real de Linz. Era um ancião de presença bondosa, porém, por sua vez, enérgica, que não somente sabia cativar a nossa atenção com uma deslumbrante eloquência, senão também arrastar-nos em seu entusiasmo. Todavia, hoje recordo com suave emoção este obscuro homem, que no ardor de sua dissertação nos fazia, às vezes, esquecer o presente, nos conjurava aos tempos passados e sabia emoldurar, como uma viva realidade, a seca e árida lembrança histórica, arrancando-a da névoa dos séculos. E ali estávamos sentados, entusiasmados amiúde até ao arrebatamento, comovidos, inclusive, até derramar lágrimas."

O pai do futuro ditador da Alemanha, o severo Alois Hitler, com seu uniforme de funcionário do Serviço Austríaco de Aduanas

3

Conflito com o pai e prosseguimento dos revezes escolares

uitos anos depois, falando sobre a sua adolescência, Adolf acentuou que os seus conhecimentos históricos da Casa de Habsburgo estavam sendo corroborados pelo que presenciava todos os dias. Escreveu no *Mein Kampf* que a peçonha de estranhas raças roía o corpo da nacionalidade germânica. Em sua opinião a casa real se fazia tcheca, por qualquer ângulo que se pudesse mirá-la. Foi a mão da divindade, da justiça eterna e do castigo inexorável, conforme acreditava, o agente que decretou que o mais "sanhudo" inimigo do germanismo na Áustria, o arquiduque Francisco Ferdinando, "caísse vítima da bala que ele mesmo havia ajudado a fundir".

O garoto tinha pavor que a Áustria se transformasse num estado eslavo. Associou mais tarde o conceito de nacionalidade ao de raça. Pensamento perigoso, já se vê, levado por ele aos últimos extremos. Achava que a introdução de sangue estrangeiro no organismo da nação tudesca exerceria um efeito pernicioso na estrutura do caráter nacional. Lamentou, durante a vida inteira, que a medula central da nacionalidade alemã não fosse racionalmente homogênea.

No limiar da adolescência, Adolf sofreu o impacto da música wagneriana, quando o pai o levou ao teatro de Linz para assistir ao *Lohengrin*. Esta ópera o impressionou realmente. Agradou-lhe deveras o tema germânico, com reminiscências dos *Eddas* escandinavos e dos *Nibelungenlied*. O gesto do Cavaleiro do Graal salvando Elsa de Brabante mas, logo em seguida, fugindo dela, porque não soubera respeitar o segredo da sua procedência, incutiu profunda emoção na alma ardente e mística do menino.

Adolf não se acostumava à rotina escolar. Sentia-se na sala de aulas como peixe fora d'água. Os seus colegas, encarando o esquisito filho do funcionário das aduanas, exibiam indisfarçável desconfiança. Começou, por conseguinte, a refugiar-se no seu orgulho ferido. Evitava o contato com quase todos os professores, fingindo ignorá-los se os via na rua.

Quando August Kubizek, seu companheiro de juventude, iniciou a longa amizade com Hitler e pretendeu saber se ele era estudante, ficou surpreso ao ver a reação do futuro chanceler do Reich:

— Escola? — perguntou Adolf, indignado.

"Foi o primeiro acesso de cólera que tive ocasião de observar nele — salienta Kubizek. — Não queria ter absolutamente nada com a escola. A escola não lhe importava de modo algum. Odiava os professores, aos quais não cumprimentava, e também odiava os companheiros de colégio, julgando que neste eram educados somente na ociosidade."

Há um outro episódio bastante significativo, ocorrido com Hitler e esse amigo: iam os dois por uma rua de Linz, quando, em certa esquina, apareceu um jovem da mesma idade de ambos. Era um rapazinho muito elegante, bochechudo. Ao avistar Adolf o reconheceu como um dos seus companheiros de colégio e exclamou, alegre:

— *Servus*, Hitler!

De maneira rápida, espontânea, segurou-o pela manga do paletó e perguntou-lhe, com sincero interesse, como ia a sua vida. O rosto de Hitler se enrubesceu de cólera e desvencilhando-se, gritou:

— Não é da sua conta, em absoluto!

Adolf tomou o braço do seu amigo Kubizek e prosseguiu no passeio, enquanto o rapazinho permanecia desconcertado, com um tremor visível nas carnudas bochechas.

Ainda em estado de fúria, Hitler resmungou:

— Todos são futuros funcionários do Estado! E com semelhantes criaturas eu convivo, na mesma classe!

Porque agora é preciso que se diga: Hitler, filho de um burocrata, sentia incoercível aversão pelos servidores públicos. Queria ser artista, pintor. A carreira de um funcionário lhe era antipática, sob vários pontos de vista.

O pai desejava que ele também entrasse nas aduanas, pois graças ao seu preparo poderia ocupar postos de relevância. Com esse intuito o levou, um dia, aos escritórios das aduanas de Linz. Pretendia incentivá-lo no apreço à sua profissão, mas Adolf obstinou--se na ideia de se tornar artista.

Alois ficou furibundo. Artista! O filho, positivamente, era insensato! Como irrepreensível burguês, não via com bons olhos os pintores, os escultores, os músicos, todas essas criaturas destituídas de senso prático, que andam mergulhadas nas nuvens.

Um duro conflito se estabeleceu entre Alois e Adolf. O pai, na verdade, queria apenas garantir o futuro do rebento. Nenhuma palavra logrou convencer Adolf. Afirmava que só acalentava um ideal: ser pintor.

— Pintor? — rugia o autoritário chefe de família. — Jamais, enquanto eu viver!

Richard Wagner, o maior ídolo musical do jovem Adolf

Desde criança Hitler se encantou com as óperas de Wagner, como o *Lohengrin*, cheias de gestos grandiloquentes, personagens idealizados e temas míticos

Dos argumentos o velho passou à violência. Usou até golpes de bengala. Tudo inútil. Adolf resistia. Uma ocasião aguentou trinta e oito golpes sem se mexer, enquanto a mãe, atrás da porta, acompanhava horrorizada a raiva incontida do feroz esposo.

"Não quis ser funcionário — confessou depois. — Nem as homílias, nem a mais persuasiva das argumentações serviram para vencer a minha repugnância. Não quis ser funcionário e me recusei a isto. Todo intento de citar o exemplo do meu pai para despertar meu amor ou minha vocação para aquele ofício, produzia efeitos diametralmente opostos. A ideia de ter que permanecer sentado numa repartição, de não poder ser dono do meu próprio tempo, e de consumir minha existência enchendo fórmulas, se me afigurava odiosa e inconcebível."

A saúde de Alois Hitler vai declinando, porém. Tal como acontecera com as suas duas primeiras mulheres, ele principiou a padecer de uma moléstia pulmonar. Em agosto de 1902, teve uma hemoptise. No ano seguinte, a 3 de janeiro, quando contava sessenta e cinco anos, dirigiu-se ao albergue Wiesinger, para beber sua costumeira porção de vinho. De súbito, sem pronunciar uma palavra, pendeu da cadeira. Uma apoplexia o havia fulminado.

Hitler, que tinha quatorze anos, ao comparecer diante do leito fúnebre do progenitor, rompeu em amargos e incontidos soluços.

* * *

Depois da morte do marido, Clara ficou residindo com os seus dois filhos, mas em 1908, para não se separar de Adolf, alugou sua casa, passando a morar no terceiro andar de um edifício de Linz.

Os insucessos escolares de Hitler continuaram, embora ele fizesse tudo para agradar a mãe. O professor Eduard Huemer deu a entender claramente à viúva que o acesso a uma classe superior só seria possível em outra escola, fora da capital.

Ei-lo, pois, o jovem avesso ao estudo, na Escola Superior Profissional de Steyr, uma cidade que dista trinta e três quilômetros de Linz e onde Moreau, após a vitória de Hohenlinden, assinou um armistício com a Áustria.

Em Steyr, o estudante relapso vive na casa de Edler von Cichini, um funcionário do Tribunal. Nas horas de lazer, que são muitas, pinta e desenha. A uma classificação de "não apto" em matemática, vem juntar-se outra de "insuficiente" em geometria descritiva.

"Havia muitas coisas, ainda as mais desprovidas de transcendência — declara August Kubizek — que podiam encher-lhe de excitação. Porém o que mais o indignava era ouvir dizer que devia converter-se em funcionário do Estado. Bastava ouvir em alguma parte a palavra 'funcionário', ainda que não fosse pronunciada em menor relação com o seu futuro, para imediatamente ficar arrebatado pela ira. Pude verificar que estes transportes de ira, em certo sentido, eram uma recordação das discussões com o seu falecido pai, que queria fazer dele, a todo custo, um funcionário. Seriam, pode-se dizer assim, discursos de defesa *a posteriori*."

Naquela época, Adolf era um adolescente de estatura mediana e desenvolto. Mas tinha constituição delicada e vivia se queixando do seu estado de saúde. Durante o inverno, o clima nebuloso e úmido de Linz lhe fazia mal. Às vezes caía enfermo e tossia muito. Tudo demonstrava que seus pulmões não eram resistentes.

Em 1904, sua saúde periclita. Adquire singular palidez e acentuada magreza. Os seus olhos se mostram encovados, escuros, como se ele estivesse tuberculoso.

A mãe sentia-se desgostosa com a vida que o filho levava.

— O teu bom pai não encontra descanso no túmulo — costumava dizer-lhe — porque você não tem a menor intenção de realizar o que ele tanto queria. A obediência é a virtude fundamental de um bom filho. Mas você não pensa assim. Por este motivo é que você pouco se adiantou na escola e não tem sorte na vida.

Hitler se esforçou em provar à mãe que era tolice ele prosseguir na escola. Discorreu sobre a inutilidade dos sistemas pedagógicos, asseverando:

— Pode-se aprender melhor por si mesmo!

E querendo provar que se achava com a razão, ingressou na Sociedade dos Museus, de onde tirava livros para ler em casa, e se inscreveu, igualmente, na Biblioteca da Sociedade de Educação Popular, situada na Bismarckstrasse de Linz.

Angela, a meia-irmã de Hitler, havia se casado com um funcionário chamado Raubal. Este era um alcoólatra inveterado. Além do mais, adorava o jogo e o fumo. Adolf o detestava não só por causa desses vícios, mas sobretudo pelo fato de Raubal ser funcionário. Deve-se também dizer que ele insistia com Hitler para seguir a carreira do falecido sogro, isto é, a de servidor das aduanas austríacas...

Se Adolf mencionava o nome de Raubal, seu rosto se inflamava de ódio.

O temperamento de Hitler era cheio de contrastes. Se guardava no coração rancores e malquerenças, também extravasava, às vezes, ternura e lirismo exagerados.

Nos seus momentos de paz, de serenidade, compunha sonetos e poesias.

Em Linz, morou na casa número 31 da Humboldstrasse. Era uma habitação modesta, em cuja sala de estar se encontrava, no alto de uma parede, o retrato de Alois Hitler, com o seu semblante grave e altivo.

Foi nessa época que ele se apaixonou por uma moça chamada Estefânia, sobre quem falaremos no próximo capítulo. Mas foi também neste período, no outono de 1905, que adoeceu gravemente.

O pai tinha sofrido dos pulmões. O filho agora o acompanhava, nesta indesejável herança. Um médico chamado Kreiss, após examiná-lo, disse à família que deveria perder toda a esperança.

Qual seria a moléstia de Adolf? Tuberculose? Sua irmã Paula informou que ele vomitara sangue.

Hitler era o fruto de um casamento consanguíneo. Daí talvez se explique a sua debilidade constitucional. Acrescente-se que uma irmã de sua mãe já havia manifestado alguns sinais de desequilíbrio mental.

É fácil imaginar quanto Hitler deve ter padecido, nessa fase da existência. O seu sofrimento, provavelmente, seria mais moral do que físico: uma intensa revolta por se sentir valetudinário, condenado ao repouso. Como poderia se conformar se ele foi, desde aquela idade, um apóstolo da ação, da energia?

No ano em que caiu enfermo, a sua mãe viu-se obrigada a vender a casa de Leonding, para acudir às despesas.

Clara Pölzl envelhecia prematuramente. Em breve os seus cabelos ficaram brancos. O destino não lhe fora dadivoso. Dera-lhe um marido violento, despótico. Teve vários filhos e quase todos morreram logo. Adolf, um dos que restaram, parecia estar a caminho do túmulo. E ela, a infeliz mulher, começou a ser atacada por mal implacável: um câncer no peito.

Hitler aos 16 anos, em desenho de Sturmlechner, seu colega de escola

4

Paixão de um jovem morbidamente tímido, que pensou em se suicidar

Antes de descrevermos a estada de Hitler em Viena, a encantadora cidade imperial, vamos ver a história de uma paixão estranha, que muito o atormentou.

Os psicanalistas podem encontrar, neste amor juvenil de Adolf, matéria farta para dezenas de interpretações. Como aconteceu? Foi na primavera de 1905, quando Hitler, depois de cear, passava por uma rua em Linz, em companhia do seu amigo August. De repente ele segura este amigo pelo braço, fortemente, e, bastante excitado, apontou uma esbelta jovem ruiva, que cruzava a rua junto de sua mãe:

— Amo-a! — disse Hitler a August, com voz segura.

A mocinha, que de fato era bonita, deixara-o siderado. Ficou em êxtase. Daí por diante não pôde mais esquecê-la. Vivia aguardando os momentos de rever o seu ídolo, que todos os dias, ao anoitecer, passeava na Landstrasse, acompanhada pela progenitora.

O objeto da sua afeição chamava-se Estefânia e devia ter uns dezessete ou dezoito anos. Pertencia a família distinta e tinha olhos belos, claros e expressivos. Vestia-se com elegância e possuía a cabeleira abundante de uma Valquíria. Sua mãe era viúva e morava em Urfahr, provavelmente em companhia da filha. Com pontualidade, às cinco da tarde, as duas mulheres apareciam. Hitler, com o amigo, já esperava por ela, numa esquina. Nunca havia dirigido uma palavra à moça. Lançava-lhe apenas um olhar fixo, insistente.

Às vezes, uma ou outra ocasião, um jovem aparecia ao lado de Estefânia. Hitler ficava louco de raiva, de ciúme. O rapaz, no seu entender, era um intruso, um rival. Só se tranquilizou quando soube que se tratava de um irmão da sua amada, que estudava Direito em Viena.

Quando Estefânia surgia escoltada por algum jovem oficial, Adolf se desesperava. Via com ódio os supostos rivais, nos seus uniformes coloridos, rebrilhantes. Ao lado de um garboso tenente, com a sua elegante espada e vistosos alamares, o pálido e doentio Adolf Hitler ficava ofuscado. Logo explodia o seu bilioso complexo de inferioridade, nascido da revolta e da inveja:

— São fátuas cabeças vazias — asseverava ao amigo August.

Ou então:

— Tipos ociosos, que usam espartilho e se perfumam!

O tempo passava e Adolf permanecia na sua atitude de veneração platônica. Não se atrevia a falar com Estefânia. Era um tímido, receava, quem sabe, a responsabilidade da conquista ou o fracasso amoroso.

Essa inibição, essa ausência de iniciativa diante das mulheres, que ele revelou a vida inteira, talvez fossem consequência de uma invencível frieza sexual. Já se falou muito a propósito desse aspecto da sua personalidade. Houve mesmo quem afirmasse que Hitler era incapaz de manter relações sexuais normais. Outros chegaram a dizer que o apóstolo do nazismo foi um sifilítico, ou mesmo um homossexual que "vivia mergulhado numa atmosfera de sexualidade furtiva".

Seja como for, o fato é que ele produziu inúmeras poesias amorosas, em homenagem a Estefânia. Numa dessas composições poéticas descrevia a moça como donzela de castelo, trajada com um vestido de veludo azul escuro, a ondear em cima de branco palafrém que corria por pradarias atapetadas de flores. A sua esplêndida cabeleira de matizes rubros tombava, em jorro escarlate, sobre os seus ombros cor de jaspe, enquanto, no alto, transluzia um límpido céu primaveril.

O tema predileto de Hitler era Estefânia. Não enxergava mais nada. Pouco se importava que nunca lhe tivesse dirigido a palavra. Se o amigo objetava que devia apresentar-se à jovem, Hitler respondia que com criaturas "tão extraordinárias, como eram ele e Estefânia, não era necessária, de modo algum, a comunicação oral, imprescindível entre as demais pessoas".

Estava convicto de que a moça conhecia todos os seus sonhos. Quando percebeu que August mostrava alguma dúvida, Hitler se encheu de indignação e o increpou:

— Você não pode compreender isto, porque não é capaz de penetrar o sentido de um amor extraordinário.

O amigo, querendo tranquilizá-lo, perguntou se Hitler poderia infundir na moça os seus anseios e sentimentos, unicamente através do olhar.

Hitler retrucou:

— É possível! Não posso explicar-lhe. Em Estefânia se acha tudo que está em mim.

Diz August, no seu livro de memórias, que Hitler interpretou o interesse da moça por outros jovens, especialmente por certos oficiais, como uma forma de manobra, de diversão, com as quais pretendia dissimular os seus apaixonados sentimentos por ele. Tal ideia, confessa o companheiro de juventude, era seguida amiúde por furiosos acessos de ciúme, pois Adolf se sentia infinitamente desgraçado quando Estefânia não lhe concedia sequer um simples olhar. E August indaga, em determinado trecho da sua obra:

"Como poderia satisfazer-se uma rapariga jovem e cheia de alegria com os interrogativos olhares deste enigmático adorador, quando havia outros que sabiam oferecer-lhe sua adoração de maneira muito mais desenvolta?"

Mas August Kubizek jamais pôde explicar isto ao seu amigo Adolf. Um dia, porém, este lhe indagou:

— Que é que devo fazer?

August nunca ouvira, de seus lábios, semelhante pergunta. Sentiu-se muito orgulhoso com o fato de que Hitler fosse receber um conselho de sua boca. Pelo menos uma vez experimentou uma certa superioridade sobre ele.

— Muito simples — respondeu —, você cumprimenta as duas, se aproxima delas, se apresenta à mãe, pronunciando o seu nome ao mesmo tempo em que tira o chapéu e pede logo licença para falar com a filha e poder acompanhá-las.

Hitler fitou August e, por alguns momentos, refletiu sobre a sugestão. O receio do fracasso ou a falta de confiança em si próprio, o temor de entrar no terreno prático das relações sentimentais, causou-lhe, é admissível, um medo pânico.

— Que é que devo dizer — retrucou — se a mãe perguntar pelo meu trabalho? Ao apresentar-me, devo nomear minha profissão. O melhor será mencioná-la imediatamente depois do nome: "Adolf Hitler, pintor acadêmico", ou algo parecido. Mas eu não cheguei, todavia, a isto. Primeiramente tenho que chegar à efetivação do meu intento. Para a mãe, a profissão é provavelmente mais importante do que o nome.

A desculpa de Hitler não nos convence, entretanto. Parece que ela encobre, além do receio da derrota, um acentuado complexo

Estefânia, o grande amor do jovem Adolf Hitler

de inferioridade. É o caso de perguntarmos: este complexo viria da sua obscura condição social (Hitler era um super-ambicioso) ou de alguma deficiência física?

Muitos julgam que ele sofreu de fimose, o mesmo defeito orgânico que perturbou a vida sexual de Luís XVI, tornando Maria Antonieta uma rainha inquieta, insatisfeita. O inegável, no entanto, é que Adolf padecia de uma timidez anormal. Os psicanalistas, atualmente, opinam que a timidez em elevado grau constitui sintoma insofismável de histerismo e neurastenia.

August, influenciado pela amizade, tenta justificar Adolf, mas os seus argumentos nos parecem demasiado fracos, inconsistentes:

"Durante muito tempo acreditei que Adolf fosse sensivelmente muito tímido para se apresentar a Estefânia. Sem embargo, não era a timidez que o retinha. Já então possuía Hitler um conceito tão superior das relações do homem com respeito à mulher, que lhe parecia indigna a maneira habitual de se entabular mútua amizade. Rechaçava, completamente, qualquer forma de flerte. Estava convencido que Estefânia não tinha outro desejo que o de esperá-lo, a fim de que ele rogasse para ela ser sua esposa. Eu não me achava de modo algum tão seguro. Mas Adolf, como em todos os seus problemas e objetivos, já havia traçado um plano concreto. O que não conseguira o pai, e ainda menos a escola, o que inclusive a mãe havia intentado em vão obter, conseguiu esta moça estranha e desconhecida, com quem não havia trocado uma palavra sequer. Traçou um minucioso plano para o seu futuro, graças ao qual haveria de ser possível solicitar a mão de Estefânia dentro de quatro anos."

É necessário compreender a mentalidade do indivíduo neurótico para explicar o especial estado de espírito em que vivia Hitler. Salta à vista que ele sonhava em excesso, encontrava-se alheio à realidade. Tinha construído um mundo todo seu, onde se movia a seu bel-prazer. Supunha que os seus devaneios eram fatos verídicos.

Toda neurose, ensina Freud, exerce na alma do paciente uma influência perturbadora. Serve-lhe de meio para se retirar da sua situação verdadeira "e significa, em suas formas graves, uma fuga da vida real".

O neurótico é um famélico de ação. Por tal motivo ele procura, ansioso, escapar de si mesmo. Há, portanto, uma conexão entre a neurose e a consciência moral. Essa retirada do neurótico, todavia, só se torna possível quando os falsos valores tomam lugar dos verdadeiros, e quando a fuga de si próprio se converte em uma fuga do absoluto, em uma "fuga de Deus", conforme a expressão de Max Picard.

Adolf, ao cabo de certo tempo, soube que Estefânia gostava de dançar. Isto deixou-o preocupado, porquanto seu temperamento era avesso a bailes. O amigo, para provocá-lo, lhe recomendou:

— Você precisa aprender a dançar, Adolf!

Dançar! Hitler, o jovem morbidamente tímido, ficou apavorado. Mover-se de maneira graciosa num salão, conduzindo, sob os olhares de todos, uma linda moça, parecia-lhe uma ação difícil, incompatível com a sua rígida mentalidade.

— Imagine um salão cheio de gente — disse ele a August — e tente conceber que você é surdo. Você não pode ouvir a música que põe em movimento todas as pessoas. Contemple, em seguida, este absurdo movimento de pessoas, que não poderá levá-las a nenhuma meta. Não lhe parecerão totalmente loucas essas criaturas?

— É inútil pensar assim — replicou o companheiro. — Estefânia gosta de dançar. Se você quiser conquistá-la, precisa se mover de forma tão louca e absurda como os demais!

Hitler perdeu a calma. A cólera se apoderou do seu espírito e ele berrou na cara do amigo:

— Não, não, jamais! Não dançarei nunca! Está escutando? Estefânia dança, unicamente, porque a sociedade, da qual por desgraça

August Kubizek, amigo de Hitler na sua juventude

Desenho de Hitler, representando a casa que ele queria construir para o seu amigo August Kubizek

depende, a obriga! Logo que se converta em minha esposa, deixará de sentir a menor necessidade de bailar!

A situação se tornava cada vez mais difícil para Adolf. Vivia angustiado, medindo os seus escrúpulos. Parafraseando Shakespeare no *Hamlet,* o problema para ele, naqueles dias de dúvida, se resumia no seguinte:

"Dançar ou não dançar? Eis a questão!"

O amigo chegou a suspeitar que Adolf, na sua casa, com as portas bem fechadas, ensaiava uns passos de dança com a irmã pequena.

Depois de semanas e semanas de ponderações, Hitler teve uma ideia fantástica. Acudiu-lhe a possibilidade de raptar Estefânia. Tendo em mente tal objetivo, traçou um plano minucioso, sem se esquecer dos mínimos detalhes. August seria o seu cúmplice, a quem caberia iniciar uma conversação com a mãe de Estefânia, enquanto Adolf se encarregaria de raptar a filha. Uma pergunta de August, porém, o fez abandonar este absurdo projeto:

— E de que viverão os dois?

As coisas pioraram. Estefânia começou a cansar-se do seu silencioso adorador. Passava indiferente pela rua, sem dirigir o menor olhar para Hitler.

O desespero dele atingiu o clímax. Já não podia suportar tanto sofrimento. A sua existência transformou-se num fardo de chumbo. Tudo se lhe afigurava negro, sombrio, hostil. Que fazer? Só teve uma ideia: suicidar-se.

— Não posso resistir por mais tempo! Vou colocar um fim em tudo isto!

Hitler falava seriamente. Tinha intenção de saltar do parapeito de uma ponte, no Danúbio. Mas desejava que Estefânia o acompanhasse na morte. Por esta razão traçou um novo plano, mais sinistro, diabólico. Descreveu a August, com riqueza de pormenores, toda a tragédia. O amigo, coitado, se agitava à noite, vendo em sonhos aquelas cenas dramáticas.

Num desses dias de suplício moral, em junho de 1906, Hitler se achava numa esquina de Linz. Era um dia de desfile militar, acompanhado de batalha de flores. Marchava a banda do regimento de Hessen, lançando no espaço sons marciais. Atrás dela vinham carros enfeitados de rosas, dentro dos quais muitas mocinhas e senhoras de idade saudavam alegremente os espectadores.

Hitler não via nada, não queria saber de nada. Sua obsessão era Estefânia. Aguardava febricitante a chegada da deusa. O tempo se escoava e ele se sentia cada vez mais nervoso, frenético.

Músicas retumbantes, flores de maravilhosas cores, lindas moças sorridentes, alegria geral, entusiasmo, delírio do povo, expansões da divina mocidade, tudo o deixava frio, impassível, desdenhoso.

De repente, num gesto brusco, Hitler apertou o braço de August com tamanha força que lhe fez dano.

Mãe e filha acabavam de aparecer, numa bela carruagem adornada com flores silvestres. Estefânia trajava um vaporoso vestido de seda e surgia envolta de papoulas vermelhas, brancas margaridas e azuis aciantos.

Hitler fica estatelado. É um deslumbramento. A emoção que experimenta não pode ser descrita. Vê, na moça, uma aparição extraterrena.

Os claros olhos de Estefânia se fixam em Adolf. Ela envia-lhe também um despreocupado sorriso e, num gesto espontâneo, próprio do dia festivo, pega uma flor e a joga para o jovem apaixonado.

Hitler exultou de felicidade. Confessou August, depois, que nunca em sua vida tinha visto Adolf tão alegre.

Após o coche ter passado, os dois rapazes procuraram um local mais tranquilo. Hitler, emocionado, contemplava a flor. E dizia, com voz trêmula, excitada:

— Sente afeto por mim! Você mesmo pôde ver. Sente afeto por mim!

Um outro rapaz, de mentalidade normal, teria se animado com semelhante prova de consideração. Procuraria, imediatamente, entrar em contato com a criatura amada, sem ter o receio de se sentir repelido, mas Hitler deixou o tempo correr. Em vão o amigo lhe dizia:

— Você já poderia acreditar que ela deseja que a palavra lhe seja dirigida!

Hitler contestava:

— Amanhã!

E foi assim, adiando sempre o instante de falar com Estefânia, que Adolf deixou desvanecer-se o seu caso amoroso.

Podemos concluir que ele amou esta moça estranhamente, pois nunca chegou a trocar a menor palavra com ela. Um jovem másculo, viril, teria procedido com mais desembaraço. Essa ausência de iniciativa, esse platonismo incrivelmente abstrato, talvez sejam frutos de um temperamento desprovido de vitalidade sexual, que encontrava no universo dos sonhos uma compensação para a sua insuficiência orgânica.

Aquarela pintada
por Hitler

5

Adolf é reprovado quando procura entrar para a Academia de Belas Artes

Adolf, assim que se restabeleceu de uma doença pulmonar, preparou-se para iniciar a carreira artística. A escola já não fazia parte de suas cogitações.

A mãe, embora enferma, presa ao leito, concordou em deixá-lo seguir seu rumo. Ela o ajudaria, com a modesta pensão de viúva. Posteriormente Hitler justificou-se:

"A escolha de um ofício haveria de ser feita com mais rapidez do que eu supunha. A pobreza e a turva realidade me forçaram a adotar uma rápida decisão. Os escassos recursos da família esgotaram-se quase por completo, como consequência da grave enfermidade de minha mãe; a pensão que, como órfão, me correspondia, não dava para viver, de modo que era imprescindível ganhar, de qualquer maneira, a subsistência."

As ideias nacionalistas de Hitler se firmavam cada vez mais. Nessa época os estudantes da Polônia prussiana entraram em greve contra a germanização do ensino. É lícito supor que Adolf se indignou ao saber da atitude dos escolares rebeldes. Para ele tudo quanto se relacionasse com a Alemanha era sagrado.

Desse favoritismo pela pátria de Hans Sachs nasceu, simultaneamente, o seu desprezo pelos outros países. Nem a terra italiana, tão amada por todos os artistas, logrou interessá-lo.

Achava que os Habsburgos deviam ser campeões da supremacia germânica, em vez de transigirem com os tchecos e congêneres "raças servis".

Desde cedo Hitler odiou o tradicionalismo. A carreira burocrática, para ele, representava aquilo que mais abominava: a ordem social estabelecida.

Em maio e junho de 1906, quando contava cerca de dezessete anos, Adolf visitou Viena pela primeira vez. Entusiasmou-se, então, pela majestade dos edifícios e com a Ópera e as galerias de arte.

No outono de 1907, deixando sua mãe às portas da morte, procurou a Academia de Belas Artes de Viena. Levava um punhado de desenhos e o desejo de se apresentar no concurso de ingresso.

Graças ao auxílio econômico da progenitora, pôde inscrever-se no concurso.

Clara lamentou, junto de August, o embarque precipitado do filho:

— Se tivesse estudado com dedicação na Escola Real, agora já poderia fazer um novo exame. Mas ele não deixa que a gente diga qualquer coisa. É tão cabeçudo como o seu pai. A que se deve esta repentina viagem a Viena? Em lugar de conservar, com zelo, a pequena herança, prefere gastá-la irrefletidamente. E que acontecerá depois? Não sairá nada de bom da pintura. Nem tampouco para escrever histórias serve para algo. Eu não poderei ajudá-lo, daqui a algum tempo. Tenho que pensar ainda na pequena. Já sabe você que criatura tão suscetível ele é. E, apesar disso, tem que aprender alguma coisa útil. Adolf, no entanto, não pensa nisso. Segue o seu caminho, como se estivesse sozinho no mundo. Eu não consigo ver de que forma poderá assegurar uma existência independente...

Os temores da mãe não eram infundados, porquanto a lista classificada da Academia Vienense de Belas Artes registra o seguinte resultado do concurso de ingresso, efetuado em outubro de 1907:

Os que se seguem fizeram o exame e não se viram aprovados, ou melhor, não foram admitidos: Adolf Hitler, oriundo de Brasnau, 20 de abril de 1889. Alemão. Católico. Pai no serviço civil. Quatro cursos na Realschule. Apresentou algumas cabeças. Prova de desenho rechaçada.

Reprovado! Tal palavra doeu terrivelmente no coração de Hitler. Seu orgulho sangrou. Manteve silêncio, não revelando a ninguém o fracasso, mesmo porque o câncer de sua mãe havia se agravado e a vida dela estava por um fio.

No princípio de 1907, a senhora Clara ingressou no Hospital das Irmãs de Caridade, situado na Herrenstrasse, de Linz. Ia submeter-se a uma delicada operação.

Após a intervenção cirúrgica, voltou ao lar, mas se encontrava tão fraca e abatida que teve de permanecer no leito.

Adolf, em Viena, não escrevia. Ela supunha, por isto, que ele se achasse muito ocupado, enfronhado nos estudos.

Em dezembro foi chamado. A mãe agonizava. No dia 21 faleceu.

Hitler e a sua irmã Paula ficaram órfãos. Estavam quase na miséria. Sob as instruções de Josef Mayrhofer, seu tutor, Adolf redigiu uma petição ao Estado, solicitando uma pequena pensão:

Muito alta Direção Imperial das Finanças:

Os respeitosos signatários solicitam pela presente a bondosa concessão da correspondente pensão de órfãos. Os dois solicitantes, que perderam a sua progenitora, falecida a 21 de dezembro de

Aquarelas pintadas por Hitler

*1907, viúva do inspetor de aduanas imperiais, ficaram, em con-
sequência, órfãos, menores de idade, e incapazes de ganhar o próprio sustento. A tutoria dos dois solicitantes, pois Adolf Hitler
nasceu a 20 de abril de 1889, em Braunau sobre o Inn, e Paula
Hitler a 21 de janeiro de 1898, em Fischlham, Lambach, Ob. Ost,
é desempenhada pelo senhor Josef Mayrhofer em Leonding, Linz.
Os dois solicitantes pertencem à jurisdição de Linz. Repetem o
seu rogo com o maior respeito*

ADOLF HITLER, PAULA HITLER.

Esta petição não deixa de ser interessante, do ponto de vista
psicológico. Hitler, o ferrenho e precoce nacionalista, que enxer-

gava na monarquia austríaca um fator dissolvente desse mesmo acendrado nacionalismo, que lhe exacerbava os sentimentos germânicos, pedia humilde, no entanto, ao regime execrado, um modesto auxílio financeiro, a fim de não morrer de fome...

A pensão foi concedida.

Em Viena, conforme ele próprio confessou no *Mein Kampf*, continuou seguindo de perto, com ardente entusiasmo, todos os êxitos da Alemanha:

"Repleto de orgulhosa admiração, eu comparava o impetuoso aparecimento do Império com a inevitável decadência do Estado Austríaco."

Adolf se rejubilou com os atrevidos lances da política exterior germânica. Mas sentia angústia ao pensar na vida política nacional, que lhe desagradava. Reprovou, por exemplo, a campanha promovida contra o cáiser Guilherme II. Enxergava nele não só o imperador da Alemanha, porém, da mesma forma, o criador do Exército Alemão. Irritou-se sobremodo quando soube que o Reichstag havia proibido que o imperador falasse em seu recinto. A seu ver, esta interdição provinha de um corpo que, segundo afirmava, carecia de autoridade moral para proceder assim, "já que aqueles tolos parlamentares costumavam pronunciar em uma só sessão mais baboseiras do que as de toda uma dinastia de imperadores".

* * *

Nos fins de 1908, Adolf apresentou-se, pela segunda vez, no concurso de ingresso da Academia de Belas Artes.

Os desenhos que submeteu ao júri não lhe deram chance. Julgaram-no incapacitado. O diretor da escola o aconselhou a estudar arquitetura, pois seu temperamento inclinava-se mais para esta arte do que para a pintura. Todavia, se Hitler quisesse seguir a carreira de arquiteto, tornava-se necessário possuir algum diploma de escola profissional. Ele não tinha nenhum diploma. O diretor lhe havia dito, além disso, que se favorecia, às vezes, os candidatos bem dotados, mas Adolf desprezou tais conselhos e repeliu a futura possibilidade.

O revés aumentou o seu ódio contra a sociedade. Dava a impressão, frequentes vezes, de ser um desequilibrado. A menor coisinha provocava-lhe excessos de cólera. Só via, em torno de si, injustiça e hostilidade. Sua raiva abarcava a humanidade inteira, que não era capaz de compreendê-lo, de enxergar nele suas indiscutíveis qualidades.

Refugiou-se, então, dentro de si próprio. Permaneceu semanas seguidas com os seus livros ou ficava a escrever até altas horas da noite. Quando não se dedicava a estes afazeres, se punha a desenhar ininterruptamente.

Viena, a sedutora, não encantava o jovem austríaco. Pouco lhe importava que ela possuísse uma universidade tão antiga, um magnífico castelo imperial, palácios de arquiduques, soberbas igrejas, grandes museus, belas praças, numerosos e imponentes monumentos.

Adolf ficou chocado com a miséria que em Viena existia ao lado da mais pasmosa riqueza. Constatou que perto de altos funcionários, artistas, nobres e professores, podia ver-se uma quantidade superior de operários, mergulhados na pobreza mais aviltante. Milhares de desocupados rondavam em torno dos palácios da Ringstrasse.

Em breve chegou à conclusão de que o único recurso capaz de melhorar as coisas consistia em empregar um método duplo: de um lado, adquirir uma sensação profunda de responsabilidade social, de outro lado, assenhorear-se de uma determinação impiedosa para destruir todas as excrescências que não pudessem ser extirpadas.

Hitler pagava dez coroas pela pensão na casa de uma senhora chamada Zakreys. Sobrava-lhe, para os gastos diários, uma ninharia.

O verbo odiar é um dos que mais empregaremos em relação a Hitler. Com efeito, ele odiava quase tudo. Odiava os Habsburgos, odiava os estrangeiros, odiava os aristocratas, odiava os próprios vienenses. Logo iria odiar, apelando para todas as forças de sua alma, a raça israelita.

Nessa época de incipiente revolta contra a sociedade, Adolf começou a se interessar pelo Parlamento. Certa ocasião, levou o seu único amigo ao edifício do poder legislativo, e, na galeria, explicou-lhe:

— Aquele homem que se senta em lugar elevado, com ar bastante desprotegido e que agita, de vez em quando, uma campainha, a quem ninguém presta atenção, é o presidente. Os dignos cavalheiros naqueles assentos altos são os ministros. Diante deles, inclinados sobre suas mesas, se acham os taquígrafos do parlamento, os únicos que fazem alguma coisa nesta casa. Por isso me são relativamente simpáticos, embora possa assegurar-te que estes homens, realmente aplicados, não possuem a menor importância. À frente deles, nas cadeiras, devem sentar-se os deputados dos impérios e dos países representados no Parlamento austríaco. A maioria desses deputados, no entanto, prefere passear pelos corredores.

O desprezo de Hitler pelo sistema parlamentar se acha aí bem retratado. Ele dizia que o propósito da democracia não se firmava no objetivo de convocar uma assembleia de homens ilustrados e prudentes, mas sim em reunir uma récua de servis nulidades, com as quais se torna fácil guiar até determinadas direções, principalmente quando a inteligência de cada indivíduo é limitada.

Instituições como a liberal ou a democrática só podiam ser convenientes, no seu entender, a sujeitos falsos e rasteiros, sequiosos de evitar a luz do dia. Homens retos e honrados, como ele, Adolf Hitler, dispostos a assumir, a qualquer momento, responsabilidades pessoais, tinham a obrigação de detestar tão nefandas organizações políticas.

Dizia que o regime parlamentar contribuiu, de modo progressivo, para debilitar o Estado habsburguiano. Julgava absurdo que um certo número de indivíduos, ainda que fossem quinhentos, decidisse a respeito de uma grande série de problemas. Na prática, afiançava, são esses indivíduos, e apenas eles, que constituem o governo e administram o Estado. Tal governo, deduzia, se transforma apenas numa ficção. O princípio da autoridade se esvanece porque o dirigente de um país não pode adotar a mínima deliberação sem obter, primeiro, o consentimento da assembleia principal. E nem é possível atribuir a um chefe de Estado qualquer iniciativa, porquanto a decisão final não se acha em suas mãos e sim nas da maioria parlamentar. Desta forma, concluía o futuro líder nazista, a autoridade somente existe, em todos os casos, com o mero fim de cumprir a vontade da maioria.

As raízes da intolerância de Adolf Hitler, do seu despotismo, da sua crença no valor e na infalibilidade do homem representativo, do herói à Carlyle, se acham condensadas nesses severos raciocínios.

Emil Ludwig escreveu que Hitler era "um tipo patológico que pela exageração doentia de certos motivos, como acontece frequentemente na História, é levado para uma admiração narcisista que determina seus feitos e suas resoluções."

E o autor de *Vier Diktatoren* acrescenta:

"A relação entre gênio e loucura, muitas vezes estudada, é bem visível nas fases mais importantes da vida de Hitler. Ela o torna incompreensível, e se, depois de uma grande derrota, tivesse que comparecer como réu perante um tribunal mundial, seria de duvidar que psiquiatras sérios o declarassem responsável."

Seja como for, estamos narrando nesta biografia fatos autênticos, documentados.

À semelhança dos historiadores que só se interessam pelos eventos do passado e não por fantasias, fazemos questão de adotar, neste trabalho, uma linha de rigorosa imparcialidade.

6

Hitler na miséria, faminto, encontra calor e alimento num asilo mantido por barão judeu

A monarquia austro-húngara se achava regida por uma constituição promulgada em 1867. Esta carta magna a dividia em duas partes distintas: o império da Áustria, cuja sede era Viena, e o reino da Hungria, que tinha Budapeste por capital. Existiam, portanto, dois governos separados, mas que reconheciam o mesmo soberano, ou seja, o velho imperador Francisco José.

Monarca desde os dezoito anos, Francisco José governou, a princípio, com o auxílio de Schwarzenberg, enérgico primeiro-ministro. Devido ao apoio deste homem, e também graças à espada de Radetzki, o valente general da Boêmia, ele conseguiu dominar os sardos. Em 1849, o então jovem imperador pôde alcançar outro triunfo quando, ajudado pela Rússia, sufocou uma insurreição húngara. Querendo assegurar a continuidade da sua dinastia, casou-se com a princesa Elisabete da Baviera, filha de Maximiliano.

Na guerra russo-turca da Crimeia, conservou-se neutro, porém no ano de 1859 sustentou uma luta infeliz contra a França e a Sardenha, sendo derrotado fragorosamente em Magenta, Montebello e Solferino.

Não foram os únicos infortúnios da sua existência. Teve de apelar para a política de concessões e disputar, com a Prússia, a divisão dos ducados de Schleswig-Holstein. A 3 de julho de 1866, em Sadowa, experimentou, de novo, o gosto amargo da derrota. Durante a Paz de Viena perdeu Veneza, e um ano depois, no México, o imperador Maximiliano, seu irmão, era fuzilado.

As desgraças se renovavam, no reinado de Francisco José. Tudo parecia conspirar contra ele: a trágica morte do seu filho, o arquiduque Rodolfo, e o assassinato da imperatriz, ainda mais ensombreceram o seu espírito abatido.

Tentando acalmar a agitação das minorias nacionais, depois de ter hesitado entre a centralização interna e o federalismo, concedeu autonomia à Hungria e executou as reformas constitucionais preconizadas pelo seu ministro Beust. Mas esta medida suscita as reivindicações dos tchecos, sérvios e croatas. Era a luta de nacionalidades, de raças, que tanto havia despertado preocupações no jovem Hitler.

Ao que parece, Adolf, no fundo, não nutria acentuada simpatia por esse imperador, que fez do tratado de aliança com a Alemanha a base e o sustentáculo da sua política exterior.

"O Império Austríaco — escreveu Adolf — não se compunha de raças similares, não o unificava um sangue comum, senão um punho comum. Deste modo, os sintomas de debilidade no governo não deviam provocar, necessariamente, a languidez do Estado, mas sim, pelo contrário, despertar todos os instintos raciais dos indivíduos, instintos que se veem impossibilitados de se desenvolver quando existe uma vontade dominante."

Essa falta de energia, de "compreensão" do problema étnico do Império, é que constituiu, para Hitler, o trágico crime da Casa dos Habsburgos.

Tocamos aqui num ponto crucial do pensamento hitleriano: o conceito de nação e raça, que começou a plasmar-se no seu cérebro quando ele ainda era estudante. De onde são originárias as ideias que tinha a esse respeito? Sem dúvida elas provinham de suas leituras, das obras de Houston Chamberlain e Gobineau.

A doutrina da vontade de poder foi haurida na filosofia de Nietzsche.

O ódio de Hitler à democracia e à raça israelita é oriundo de sua revolta ao contemplar as pretensões políticas das nacionalidades que formavam o deteriorado Império Austro-Húngaro. Eis a origem do seu nacionalismo hipertrofiado, do seu incontrolável desprezo pela dinastia dos Habsburgos, que em vez de defender, conforme assegurava, a raça alemã, queria dar proteção aos eslavos e aos judeus.

Existem na História, doutrinava Hitler, inúmeros exemplos que provam, com alarmante clareza, o que sucedeu à raça ariana quando ela se mesclou aos povos inferiores. O resultado, afirma Adolf, foi a destruição da raça representativa da cultura. E aponta o caso da América do Norte, cuja população está formada, em sua maior parte, por elementos germânicos. Estes, dizia Hitler, apenas chegaram a confundir-se com as "raças inferiores", de cor. Por causa disso exibem uma cultura e uma civilização muito diferentes daquelas que mostram a América Central e a do Sul, pois nessas últimas os colonizadores, sobretudo os de origem latina, misturaram com excessiva liberalidade o seu sangue ao sangue dos aborígenes. Os efeitos da mescla racial são evidentes, deduz Hitler: o habitante germânico da América que se conservou puro e sem mistura conseguiu transformar-se em senhor do seu continente, podendo continuar nesse papel enquanto não caia na desonra de mesclar o seu sangue.

* * *

Hitler permaneceu em Viena de 1909 a 1913. Estes anos foram, segundo ele, os mais desgraçados de sua vida.

Adolf, na segunda metade de 1909, morava na Simondenkengasse, que se localizava ao norte de Viena, nas proximidades do Parque Liechtenstein.

O austríaco Adolf Hitler desprezava
o imperador habsburgo Francisco
José e tudo que vinha da Áustria...

...mas admirava tudo que vinha da Alemanha, em particular a memória do chanceler Otto von Bismarck...

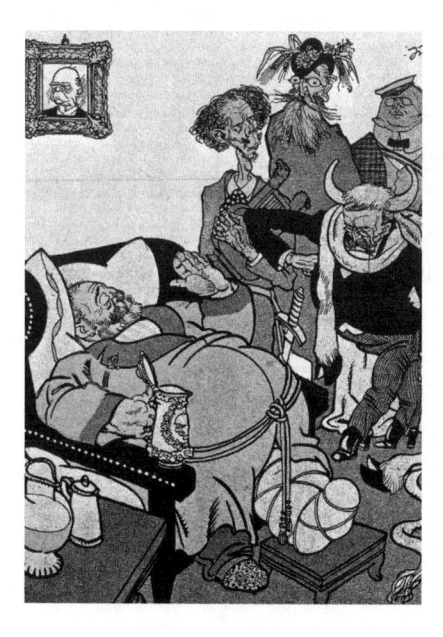

...e o político pangermanista antissemita Georg von Schoenerer, que tinha fama de beberrão

Conforme o depoimento de Konrad Heiden, o jovem Hitler foi obrigado a abandonar o quarto mobiliado em que vivia, pois se viu sem dinheiro para pagar o aluguel.

Durante várias noites frias de outono, ele dormiu em cima dos bancos de um jardim público. Não tinha rumo e passava fome. Já havia vendido todos os seus objetos de valor e a sua roupa começou a ficar surrada, andrajosa.

Certa ocasião Hitler estava faminto, de bolso vazio. Nisto vê um homem bem vestido, mas que se achava bêbado. Aproxima-se do estranho e lhe pede um donativo. O homem limitou-se a ameaçá-lo com a sua bengala...

Antes de se encontrar em tal estado, Adolf tinha trabalhado numa construção como servente de pedreiro, mas logo, por razões políticas, acabou entrando em conflito com os outros operários, que pertenciam a um sindicato. Os partidários de Georg von Schoenerer, dirigente do movimento pangermanista, haviam se rebelado contra os socialistas democratas. Hitler nutria admiração por Schoenerer, porém não deixava de tecer, a respeito desse líder, algumas restrições:

"Ao comparar a respectiva capacidade, Schoenerer se me antolhava o melhor e o mais sólido pensador que se preocupara com problemas fundamentais. Foi ele quem, com mais clareza e correção, previu o fim inevitável do Estado Austríaco. Se tivessem escutado, particularmente no Império, suas advertências sobre a monarquia habsburguiana, jamais haveria tido lugar a desastrosa guerra que a Alemanha sustentou contra a Europa coligada. Mas se é bem certo que Schoenerer conhecia a natureza dos problemas, forçoso é reconhecer os seus erros em relação ao elemento humano."

O maior defeito de Schoenerer, para Hitler, consistia na sua falta de senso prático. Adolf endossava as suas ideias pangermanistas, achava que eram acertadas em tese, mas o proprietário dessas ideias carecia, em sua opinião, de vitalidade suficiente, não sabendo comunicar seus conhecimentos teóricos ao público, revestindo-os de uma forma que pudesse torná-los bastante inteligíveis à limitada capacidade mental das multidões.

Hitler abandonara o emprego de servente de pedreiro porque os seus companheiros de trabalho queriam que ele aderisse ao sindicato da classe. Ora, isto seria, no seu entender, um vergonhoso rebaixamento da sua posição social.

Depois de ser operário, Adolf foi, algumas vezes, carregador de malas. Em outras ocasiões tornou-se varredor de neve.

Muitas vezes ia à Mariahilf, situada na Gumpendorferstrasse, tomar a sopa dos pobres no convento das freiras de caridade.

Durante certo tempo descansou na cama de um dormitório público que ficava nas costas da estação de Meidling, um afastado bairro a sudoeste da cidade.

O que se torna paradoxal, na existência de Hitler, é que ele, o adversário inamolgável da raça judaica, diversas vezes encontrou calor e alimentação nas salas aquecidas que, para socorro de mendigos e pessoas pobres, eram mantidas pelo barão Von Königswarter, um magnata israelita de Viena.

Foi nessa época que Adolf ficou amigo de um vagabundo chamado Reinhold Hanisch, originário da Boêmia alemã. Hanisch, mais tarde, descreveu o seu primeiro encontro com Hitler no dormitório público de Meidling:

"No primeiro dia, sentou-se junto da cama que me havia sido designada um homem que apenas trazia consigo umas calças velhas: Hitler. Estavam tirando piolhos da sua roupa, pois havia vagado dias inteiros sem encontrar um teto que o acolhesse, encontrando-se em péssimas condições."

Após terem trabalhado em inúmeros serviços, Hanisch perguntou a Hitler:

— Que ofício você aprendeu?

— Sou pintor.

— Seguramente você poderá ganhar dinheiro fácil com a sua profissão de pintor de paredes.

Hitler mostrou-se ofendido:

— Não sou pintor dessa espécie e sim, pelo contrário, um artista acadêmico!

Quando se achavam no asilo da Meldemannstrasse, o faminto Adolf imaginou um negócio sujo, desonesto, a fim de ganharem dinheiro:

"Hitler propôs que falsificássemos quadros. Contou-me que já em Linz tinha pintado algumas paisagens a óleo, que as metera num forno para poderem adquirir pátina e havia logrado, em várias ocasiões, vendê-las como valiosas obras de arte antiga."

Hanisch teve medo da polícia. Por isto sugeriu que se dedicassem a um negócio honrado. A pintarem cartões postais, por exemplo.

Graças a cinquenta coroas, recebidas pela venda da casa de seu pai, Hitler pôde comprar tintas, pincéis e papel, para o trabalho a que se havia proposto. O produto do labor era vendido em tabernas e nos locais públicos.

Nesta fase de sua existência, Adolf usava um casaco preto, muito velho, que lhe caía abaixo dos joelhos. Fora presente de Neumann, um judeu húngaro, companheiro de asilo.

Portanto Hitler, o antissemita, abrigou-se do frio, das intempéries, proporcionando maior conforto ao seu organismo enfraquecido, devido à generosidade de um pobre judeu... No futuro, ele se vingaria por esses favores recebidos, deixando que os filhos de Israel, velhos, mulheres e crianças, perecessem barbaramente nos campos de concentração.

A amizade com Hanisch não durou muito. Hitler o acusou de furto, na venda de um desenho, e o caso foi parar na polícia, que fez o mísero Hanisch passar uma semana na cadeia.

Além do comprido casaco negro, presenteado pelo camarada judeu, Adolf usava um chapéu preto e gorduroso, que lhe protegia a cara óssea, faminta, invadida por uma barba escura, intonsa. Essa extravagante figura era familiar aos pequenos comerciantes e aos vendedores de quinquilharias.

Sempre taciturno, desconfiado, insociável, ele percorria as ruas de Viena. Quando ganhava algum dinheiro, permanecia na ociosidade durante vários dias.

Tinha fama de maníaco, de desequilibrado. Sua paixão consistia em falar sobre política. No calor dos debates se alterava rapidamente, ficava purpúreo de indignação, gesticulava, batia os pés, bufava.

Os companheiros de asilo sentiam-se molestados com o seu gênio turbulento. Lançavam-lhe maldições, suplicavam para que se calasse.

Logo as suas ideias a respeito dos judeus se firmaram:

"O judeu afugenta pela força todos os seus competidores. Possuído pela voraz brutalidade que nele é inata, transforma o movimento sindical num instrumento de violência. Todo aquele que tenha talento suficiente para resistir aos engodos judaicos, ver-se-á dominado pela intimidação, por muito resoluto e inteligente que possa ser. Esses métodos sempre alcançam um êxito incomparável."

Mas semelhantes métodos, que Hitler atribuiu de forma genérica aos israelitas, foram justamente os processos empregados por ele. Querendo justificar-se, declarou no *Mein Kampf*:

"Daí acredito que me acho no dever de trabalhar em consonância com o Todo-Poderoso: ao combater os judeus, cumpro a tarefa do Senhor."

A mentalidade iconoclasta de Hitler se retrata num pequeno episódio. Conta Hanisch que uma tarde Adolf foi a um cinema, onde se exibia um filme baseado num romance de Kellermann, intitulado *O túnel*. Em tal filme aparecia um anarquista que, por meio dos seus discursos, levava as massas operárias à rebelião.

Hitler saiu do cinema quase louco. Durante vários dias, de maneira intermitente, discorreu sobre o poder da palavra.

Não tardou em julgar que a psique da grossa multidão só é acessível ao que é forte e inflexível. As massas proletárias, pensava Hitler, preferem o homem que ordena ao que implora, sentindo-se imbuídas de uma sensação de mais intensa segurança perante uma doutrina que não admite concorrentes ou adversários.

7

Soldado na Primeira Guerra Mundial

Três partidos impressionaram o jovem Hitler, naquela época em que seu espírito tinha começado a se preocupar vivamente com os destinos da Alemanha: o nacionalista pangermânico de Georg von Schoenerer, o social-cristão de Karl Lueger, e o social-democrata austríaco.

Hitler admirava o talento político de Lueger, mas não podia aceitar que o seu antissemitismo se baseasse em razões de ordem religiosa e econômica, em lugar de se apoiar nas diferenças raciais. Uma coisa de que gostou no partido desse homem foi dos *Knabenhorte*, onde a juventude, uniformizada, carregando bandeiras, ao som das bandas de música, desfilava em paradas imponentes.

Lueger era sagaz. Valeu-se do seu apoio à Igreja, convertendo-a em aliada.

Durante a estada de Hitler em Viena, Karl Lueger começou a ofuscar Schoenerer. Este caminhava para o fim de sua carreira política, depois de um conflito que teve com Karl Wolff, um dos seus companheiros.

Na primavera de 1913, o desconfiado e revoltado Adolf abandonou Viena. A sua alma se achava cheia de ódio. Nutria uma aversão irreprimível pela maioria das raças que compunham o apodrecido Império Austro-Húngaro: os tchecos, os polacos, os húngaros, os sérvios e os croatas.

Transferiu-se para Munique no começo do verão desse mesmo ano. Ficou alojado num bairro humilde, porém, anos mais tarde, confessou que esse tempo foi o mais tranquilo e feliz de sua vida. O que o encantava em Munique é que era uma cidade alemã.

Prosseguia na sua existência ociosa. Dava a todos a impressão de ser um tipo excêntrico. Achavam-no desequilibrado, pois ficava a maior parte do tempo nos cafés e cervejarias, lendo jornais e discutindo política. A senhora Popp, proprietária do aposento em que ele morava, dizia que Hitler era um leitor assíduo.

"A leitura teve provavelmente para mim — confessou no *Mein Kampf* — uma significação diferente da que apresenta em relação à maioria dos nossos chamados intelectuais. Conheço pessoas que leem sem descanso livros atrás de livros, página por página. Logicamente sabem muito, porém... não possuem a faculdade de distinguir entre o útil e o inútil de um livro, de maneira que possam reter na mente o essencial e, se é possível, passar por alto o supérfluo... A leitura não é um fim em si, senão o meio para chegar a um fim... Aquele que cultiva a arte da leitura poderá discernir, em seguida, num livro, numa revista ou num libelo, o que mereça recordar-se, seja porque se aplique às suas necessidades particulares, seja pelo motivo de ter valor, sob o ponto de vista da informação geral."

Hitler se retrata nestas linhas, de corpo inteiro. Vê-se, por tal depoimento, que ele pertencia a essa perigosa classe dos leitores unilaterais, monomaníacos.

Após a votação dos orçamentos militares de 1911 e 1912, o governo alemão tinha pedido ao povo maiores sacrifícios econômicos.

Adolf acompanhava, cheio de entusiasmo, a crescente militarização da Alemanha.

O Estado Maior, dirigido pelo general Moltke, propusera a criação de três novos corpos de exército, que deviam ser incorporados a partir de 1913. Um outro projeto, porém, foi apresentado ao Reichstag em janeiro desse ano. Previa uma melhora nas dotações de material, passando o exército germânico a ter, em tempo de paz, 760 mil homens.

Liebknecht, um dos chefes socialistas mais populares da Alemanha, pertencia à ala esquerdista do seu partido. Incitava o povo a não colaborar na política do governo de Berlim.

Depois, contudo, os socialistas votaram o projeto de lei militar do governo. Isto causou a demissão do coronel Ludendorff, chefe do serviço de operações, o qual afirmou que os efetivos previstos e a incorporação dos reservas, em seguida à conclusão de um conflito na Europa, seriam insuficientes para executar o célebre plano Schlieffen de guerra em duas frentes: contra a França e contra a Rússia.

Na Áustria-Hungria, graças ao general Conrad von Hoetzendorff, chefe do Estado-Maior, e ao conde Berchtold, ministro dos Estrangeiros, o partido favorável à guerra ganhou uma posição de relevo.

A França, sabendo que a Alemanha e a Áustria haviam aumentado os seus efetivos militares, decidiu, após a votação da Lei dos Três Anos pelo Senado, incorporar 750 mil homens às classes armadas.

O estopim que deflagrou a guerra foi o assassinato, em Sarajevo, a 28 de junho de 1914, do arquiduque Francisco Ferdinando, herdeiro da coroa austríaca, e da sua esposa morganática, a condessa Sofia Chotek.

Berchtold preconizara, ao imperador, a criação de uma nova Liga Balcânica, formada pela Bulgária, Romênia e Turquia, a fim de isolar totalmente os sérvios e impedir a mínima tentativa de auxílio russo.

O conde Berchtold afiançava que só uma ação brutal podia evitar a dissolução da monarquia austro-húngara e o fim da dinastia dos Habsburgos.

Hitler viu, jubiloso, a Alemanha aderir à política de guerra austríaca. Tal fato significava, a seu ver, a consolidação do pangermanismo.

A 23 de julho de 1914, o governo de Viena enviou à Sérvia um ultimato. Exigia o castigo rápido de todos os participantes do atentado de Sarajevo, a dissolução das organizações nacionalistas e a realização de um inquérito para averiguar o grau de responsabilidade dos militares e funcionários na campanha de propaganda pró-Sérvia.

É lícito imaginar a reação de Hitler diante desses eventos, a paixão que deveria apoderar-se dele, quando comentava a política europeia. Julgou que mais do que uma luta da Áustria para exigir satisfação da Sérvia, se tratava de peleja da Alemanha pela sua própria existência:

"A nação alemã ante o conflito de ser ou não ser, de conservar ou perder a sua liberdade e o seu direito a um futuro... Para mim começou, como para qualquer outro súdito alemão, o período mais memorável de minha vida. Frente a frente da titânica batalha, todo o passado se esvaneceu no esquecimento."

A 28 de julho de 1914, estourou a guerra.

Adolf logo manda uma petição ao rei Ludovico III da Baviera, pedindo-lhe para se alistar como voluntário num regimento bávaro, embora tendo nacionalidade austríaca.

Quando chegou a resposta, Hitler abriu o documento com mãos trêmulas. Disse, muitos anos depois, que as palavras eram inadequadas para descrever a sensação que experimentou. Passava a ser soldado na primeira companhia do décimo sexto regimento bávaro de infantaria.

Em breve chegaria de trem a Lile, numa tropa de reserva, destinada a reforçar a sexta divisão do exército do príncipe Ruperto.

A estreia do moço austríaco num combate bélico se deu em Iprés, na Bélgica. Neste local lutou contra os ingleses, que impediram o avanço dos alemães até a costa do Canal da Mancha.

É conhecida uma carta que enviou ao seu hospedeiro de Munique, o alfaiate Popp. Nessa missiva ele conta que, após quatro dias de luta, o seu regimento, que possuía três mil e quinhentos homens, ficou reduzido a somente seiscentos soldados.

Militarmente o jovem e estranho voluntário foi progredindo: a 1º de novembro de 1914 era nomeado caporal. Oito dias depois, recebia o cargo de ciclista do regimento.

Pode-se dizer que durante todo o conflito sua tarefa consistiu, sobretudo, em levar mensagens da companhia ao quartel-general. Desempenhou, portanto, missão arriscada, que lhe punha a vida constantemente em perigo.

Recebeu, certa vez, um ferimento na perna, que o forçou a ficar em repouso na Alemanha durante algum tempo.

Não tardou a receber, em virtude de atos de bravura, a cruz de ferro de segunda classe.

No futuro um dos seus companheiros de regimento, chamado Hans Mend, evocaria Hitler em suas cartas, informando que era um indivíduo singular, que se sentava num canto da barraca com a cabeça entre as mãos, mergulhado em profunda meditação:

"Súbito se erguia de um pulo e, correndo de um lado para o outro, declarava que a vitória não seria nossa, apesar dos nossos canhões de largo alcance, porquanto os adversários invisíveis do povo alemão constituíam um perigo bem maior do que o maior dos canhões que o inimigo pudesse utilizar."

Uma vez Adolf ficou indignado. Foi quando um judeu, que era oficial da reserva, convocou-o para o serviço de plantão. Em estado de cólera mal contida, se mexeu de todas as formas, a fim de escapar a semelhante humilhação. Ofereceu-se mesmo para executar os serviços mais perigosos. Preferia a vizinhança da morte, na linha de fogo, do que se prestar a tão horrível papel...

O jovem austríaco Hitler, de bigode grande, como soldado do exército alemão, durante a Primeira Guerra Mundial; na foto ele está à esquerda

Levava uma existência até certo ponto ascética. Não bebia nem fumava. Nunca ninguém escutou, dos seus lábios, mínima palavra sobre mulheres.

Os demais soldados consideravam-no excêntrico ou meio louco. Se zombavam dos seus modos, Hitler retrucava que ainda haveriam de ouvir falar dele.

"Nós o renegávamos e não o aguentávamos — confessa Heiden, um companheiro daqueles dias, no seu livro *Der Führer*. — Como um melro branco entre nós, não unia a sua voz à nossa para maldizer a guerra."

Não, Hitler jamais abominaria a pavorosa contenda. Ele, no fundo, era um vândalo redivivo. A guerra, com todas as suas misérias e horrores, constituía o clima ideal para o seu temperamento sanhudo, amigo dos trovões e relâmpagos que estrugem no terrífico Valhala dos velhos e belicosos heróis da mitologia germânica.

Haja visto, por exemplo, o estado de euforia, de deslumbramento, que se apossou do seu espírito no instante de saber que a guerra havia eclodido:

"Foram as horas de minha libertação, aquelas que me aliviaram da angústia que pesava em mim desde a juventude. Hoje não sinto vergonha de reconhecer que me deixei levar pelo entusiasmo do momento e que caí de joelhos para dar graças ao céu, de todo coração, pelo favor que me concedeu ao permitir-me viver nesse instante."

* * *

Na madrugada de 21 de março de 1918, quatro poderosos exércitos alemães passaram à ofensiva, após intensa preparação da artilharia. Tinha início, por conseguinte, a segunda batalha da França. Ludendorff, lançando o grosso das forças de ataque, rompeu a frente aliada na Picardia, separando os franceses dos ingleses.

Hitler, depois de um período de hospitalização em Beelitz, nas proximidades de Berlim, voltou à frente de combate. Teve ainda oportunidade de participar das pelejas de Arrás e da terceira luta de Iprés. Em seguida esteve no fronte de Aisne, perto de Lizy, tendo antes passado alguns meses em Hochstadt, na Alsácia.

Na primavera imediata, Adolf tomou parte na grande ofensiva alemã de 1918.

Hitler era inimigo dos eslavos, mas não se conhece nenhuma reação de sua pessoa no que diz respeito à Revolução Russa do ano anterior.

A ofensiva de Ludendorff nas margens do Marne foi sufocada por Foch. Os alemães recuaram através de toda a frente ocidental, sob o impacto do cerrado fogo ordenado pelo Alto Comando Aliado.

Em certa manhã de outubro, quando a guerra se aproximava do seu epílogo, Hitler foi atingido por um obus de gás, que lhe afetou seriamente a vista, deixando-o cego. Nesse estado o transladaram, num comboio de feridos, para o hospital militar de Pasewalk, na Pomerânia.

Encontrava-se ainda no leito do hospital, em convalescença, quando as condições militares do armistício foram aceitas pelos delegados alemães em Compiègne. Deixemos, porém, que o próprio Adolf descreva as suas impressões:

"Tudo havia sido, pois, em vão. Em vão os sacrifícios e trabalhos, em vão a fome e a sede sofridas por espaço de intermináveis meses, em vão as horas consagradas ao dever, surpreendidos pelo temor da morte, em vão o sacrifício da vida de dois milhões de seres. E a nossa pátria? Porém, era este o único sacrifício que estávamos destinados a suportar? Valia a Alemanha do passado menos do que supúnhamos? Não tinha obrigações impostas pela sua própria história? Merecíamos realmente ataviar-nos com a glória do nosso passado? Que razões se invocariam para justificar um ato dessa natureza perante as futuras gerações? Míseros e depravados criminosos! Quanto mais eu procurava naquela hora formar um conceito claro de tão terrível acontecimento, tanto mais fogosa e violenta era a cólera e a vergonha que enrubescia o meu semblante."

8

Ingresso na política e presidente do Partido Operário Nacional-Socialista

A guerra modificou bastante o mapa da Europa Central e Oriental. Perdeu a Alemanha boa parte do seu território. Dir--se-ia, além do mais, que um ciclone havia reduzido a pó a Áustria--Hungria. A Turquia entregou a quase totalidade de suas terras europeias e a Rússia também se empobreceu do ponto de vista geográfico.

Os tchecos e os eslavos, com os quais Hitler tanto se antipatizava, constituíram-se em nação, formando a Tchecoslováquia. Transformou-se a Áustria numa república socialista e a Hungria — após um governo de coligação formado por liberais e socialistas — sofreu uma experiência comunista, que foi efêmera, pois logo ela continuou como reino, mas sem soberano.

Do Império Russo saíram as repúblicas da Finlândia, Estônia, Letônia e Lituânia, isto é, os chamados países bálticos.

Hitler deve ter sofrido muito ao saber que a Polônia fora engrandecida pela aquisição de uma parte das províncias alemãs da Silésia e da Pomerânia.

A Europa que ele agora contemplava tinha aspecto novo. Elevara-se de vinte para vinte e sete o número de estados.

Mas a Alemanha não quis, de modo algum, experimentar o gosto da derrota. Sucederam-se as manifestações de protesto dos vencidos contra as condições impostas pelos Aliados. Poucos dias antes da assinatura do Tratado de Versalhes, os alemães afundaram a sua própria esquadra na baía de Scapa Flow. O líder socialista Scheidemann, que presidia o governo germânico, se demitiu do seu posto, alegando que preferia morrer a aceitar as cláusulas do Tratado.

A Alemanha, a orgulhosa e escolhida pátria adotiva de Hitler, passava pela humilhação de ceder à França as províncias de Alsácia e da Lorena, que este último país perdera em 1870.

A leste, as amputações eram mais dolorosas. A nação teuta perdia territórios habitados por populações germânicas, parte da Prússia Oriental e da Silésia, além da região dos Sudetos.

O Reichstag, o parlamento alemão, depois da guerra abriu um inquérito para averiguar as responsabilidades dos dirigentes do Império nas causas do conflito. Mas uma das principais testemunhas, o marechal Hindenburg, saiu engrandecido do edifício do Parlamento, aclamado freneticamente.

Ao proclamar-se a República, Hitler ainda se achava hospitalizado. A sua adorada Germânia havia mudado de regime às vésperas do armistício. O poder se encontrava nas mãos dos socialistas, que constituíram um governo provisório, do qual participaram Ebert, Scheidemann e Haase, chefes das facções moderadas.

As desordens se multiplicavam. E de tal maneira, que Scheidemann afirmou que o seu país se transmudara num hospício.

Fritz Ebert, antigo operário, foi o primeiro presidente da Alemanha republicana, eleito pela Assembleia de Weimar, a qual reuniu uma larga representação de socialistas e católicos que simbolizavam, de fato, os dois principais partidos que assumiram a responsabilidade do poder depois da derrota.

Adolf não tolerava os social-democratas. Após ter saído do hospital de Pasewalk, vagou desorientado, sem encontrar trabalho. Este, aliás, não o interessava. Decidiu, porém, regressar a Munique. Queria ser político e esta cidade lhe parecia excelente para alcançar o seu objetivo.

Os tumultos não cessavam em Munique. O revolucionário Kurt Eisner foi assassinado. Uma república de cunho bolchevista vigorou durante menos de um mês, terminando afogada em sangue.

Em janeiro de 1919, o governo socialista enfrentou em Berlim a tentativa revolucionária dos grupos de extrema-esquerda, que desejavam implantar na Alemanha um regime comunista, idêntico ao que se apoderara da Rússia em novembro de 1917.

Os nacionalistas acabaram assassinando Rosa Luxemburgo e Karl Liebknecht, principais dirigentes civis do movimento esquerdista. O nome de Rosa estava intimamente ligado à ação revolucionária dos comunistas alemães.

Hitler se achava em Munique durante os agitados meses de abril e maio de 1919. Que ele tenha participado dos acontecimentos políticos, isto é coisa que não se sabe ao certo. O indubitável, conforme escreveu no *Mein Kampf,* é que se defendeu, com rifle na mão, de três homens que quiseram prendê-lo.

A Reichswehr (forças armadas) empregara-o como agente secreto para vigiar reuniões políticas. Neste papel se pôs em contato com uma organização chamada Partido Operário Alemão, da qual faziam parte seis membros que se reuniam numa casa modesta em Munique. Esse partido foi estruturado por Anton Drexler, que lhe imprimiu caráter nacionalista. Mais tarde se reuniu a um partido similar, o Politischer Arbeiter Zirkel, ou "Círculo Político dos Trabalhadores", do jornalista Karl Harrer.

Numa das reuniões do partido, certo orador, que era separatista bávaro, propôs a separação da Baviera do Reich germânico e preconizou a união da sua terra com a Áustria. Hitler ficou possesso. Levantou-se do seu assento e discorreu veementemente contra semelhante proposta.

Quando terminou a reunião, Drexler, impressionado com o ímpeto do ex-combatente, ofereceu-lhe um exemplar do folheto de sua autoria, intitulado *Meu despertar político*.

A estreia de Hitler na tribuna, entretanto, iria dar-se no mês de outubro, na cervejaria Hofbräuhaus Keller. Cento e onze pessoas formavam o auditório. Karl Harrer, presidente do comitê, achou que o novo filiado não tinha talento para a oratória.

Justificando o seu ingresso no pequeno e obscuro Partido Operário Alemão, Hitler assinalou que o destino parecia fazer-lhe sinais convidativos:

"Havia uma missão a cumprir e quanto menor fosse o movimento, tanto mais fácil seria imprimir-lhe a forma adequada. Todavia, era possível determinar o caráter, os propósitos e os métodos desta sociedade, coisa impossível em relação aos grandes partidos existentes. Quanto mais voltas dava a minha imaginação em torno deste assunto, tanto mais profunda se fazia a minha convicção de que o movimento destinado a apontar o caminho para a ressurreição nacional não poderia ser esperado jamais dos partidos políticos do Parlamento, excessivamente aferrados a conceitos anacrônicos ou diretamente interessados em apoiar o novo regime."

Vemos, nestas palavras, o seu velho desprezo pelo regime parlamentar. Este desprezo parecia imprimir um ar de sinceridade à sua justificação.

Ernst Roehm comandava as SA, milícia ligada ao Partido Nazista

Os camisas-pardas da SA usavam o terror e a violência para atingir seus objetivos políticos

Foi o próprio Hitler que idealizou a bandeira do Partido Nazista

Adolf encarregou-se, em seguida, de dirigir a propaganda do partido. Foi ele que organizou o primeiro comício, conseguindo arrebanhar, por meio de vistosos anúncios, uma assistência de duas mil pessoas no salão de festas da Hofbräuhaus.

Um apoio útil, de valor, que Hitler recebeu com agrado, foi o do major Roehm, membro do Estado-Maior do Exército no distrito de Munique.

Roehm exercia muita influência entre os seus companheiros de farda e mesmo nas diversas ligas de defesa que combatiam o comunismo. Dizia que a política não se incompatibilizava com a carreira militar. Valendo-se do prestígio desse homem, Hitler agiu habilmente, pois teve ao seu lado uma considerável facção do exército bávaro.

Datam dessa época as suas ideias a respeito de propaganda e organização dos partidos políticos. Afirmava que a finalidade da propaganda consiste em conquistar partidários para a ideia básica, enquanto o objetivo da organização é o de melhorar os membros ativos do partido. A primeira obrigação da propaganda, segundo escreveu, devia ser a de escolher homens destinados à organização. A segunda consistia nisto, apenas: derrubar a situação existente, por meio de nova doutrina. Ao setor de organização caberia a finalidade de lutar pela conquista do poder.

"Como diretor da propaganda do partido — frisou Hitler — tive o bom cuidado de não me limitar a preparar o terreno para a futura grandeza do movimento. Trabalhei, em verdade, obedecendo a princípios muito radicais, a fim de introduzir na organização, unicamente, os melhores elementos. Porque quanto mais drástica e provocativa era a minha propaganda, tanto mais atemorizava e afugentava os temperamentos vacilantes e pusilânimes, impedindo que os mesmos penetrassem na medula da organização. E tudo isto redundou em benefício dela."

Em pouco tempo Hitler arrebatava das mãos de Harrer a direção do partido. Na sua opinião, este homem era somente um periodista, que como líder político lutava com uma enorme desvantagem: carecia de dotes de orador popular e faltava-lhe força de atração.

Entre os anos de 1920 e 1921, a propaganda do Partido Operário Nacional-Socialista Alemão era organizada por uma comissão eleita em assembleia, mas Hitler achou que esta comissão encarnava justamente o princípio combatido com intenso ardor pelo movimento: o do parlamentarismo.

O ex-pintor qualificou tal fato de absurdo. E, dando expansão ao seu caráter intransigente, à sua repulsa por qualquer coisa que lembrasse o regime democrático, deixou de participar das reuniões da comissão.

Uma vez instalado no cargo de presidente do partido, adotou medidas severas. Havia encontrado, pode-se dizer, a verdadeira feição do seu temperamento. Nascera com vocação para mandar. Dando ordens sumárias, que deviam ser cumpridas ao pé da letra, vingava-se de todas as humilhações sofridas, da miséria curtida nas ruas de Viena, do autoritarismo desumano do falecido progenitor.

Como o partido precisava expandir-se, Roehm convenceu o general Ritter von Epp a prestar auxílio econômico, a fim de se adquirir um periódico, que uma vez comprado, recebeu o nome de *Völkischer Beobachter* [Observador do Povo].

Hitler pregava que nenhum sacrifício social seria excessivo, quando se tratasse de conquistar as multidões para o movimento nacional-socialista. A nacionalização das massas não poderia efetuar-se, segundo dizia, empregando medidas anódinas ou expressando com suavidade um "ponto de vista objetivo". Só se alcançaria esse desiderato mercê de determinada e fanática perseverança no objeto almejado:

"O êxito na conquista da alma popular se logra quando, ao mesmo tempo que travamos a batalha política em prol de nossos próprios fins, destruímos também os nossos opositores. As multidões são apenas uma parte da natureza e não podem compreender o entendimento entre indivíduos cujos respectivos desejos se chocam mutuamente com violência. O que as multidões querem é contemplar a vitória do mais forte e a destruição do mais débil."

O Estado, na opinião de Adolf, deve descrer da igualdade de raças. A sua tarefa social consiste na seleção dos mais capazes, para logo promovê-los à posição de dignidade que merecem.

Preconizava, desde o pós-guerra, uma aliança da Alemanha com a Inglaterra e a Itália. Era conveniente, no seu entender, uma expansão territorial até a costa da Rússia, país que constituía o objetivo imediato de sua luta e a de todos os alemães sensatos, pois nele imperava, como soberano absoluto, o judeu internacional, inimigo desabrido do povo germânico.

De maneira lenta, mas gradual, Hitler foi desenvolvendo os seus recursos oratórios. Antes de falar aos simpatizantes do partido, procurava demonstrar a inconsistência dos argumentos contrários:

"O orador, guiado de contínuo pelo seu próprio auditório, o qual lhe permite emendar a sua arenga, e conduzido pela observação do semblante dos seus ouvintes, pode a todo momento saber até que ponto conseguem estes acompanhar com inteligência os seus argumentos, além de comprovar se as suas palavras produzem o efeito desejado, ao passo que o escritor não tem nenhum contato com os leitores. Daí o fato de não poder preparar as suas frases com o fim de dirigir à multidão postada à frente dos seus olhos, vendo-se, pelo contrário, forçado a discorrer em termos gerais."

Estas palavras retratam o psicólogo sagaz que havia em Hitler. Quanto aos seus processos oratórios, aos seus recursos técnicos para convencer e aliciar as massas, deixemos, também, que ele revele o método empregado:

"Suponhamos que um orador observa que o seu auditório não o compreende: deve aclarar os seus conceitos de uma forma tão sensível e elementar que ninguém deixe de interpretá-lo. Se percebe, por outro lado, que os seus ouvintes são incapazes de seguir o fio do seu discurso, reconstrói lenta e cuidadosamente as suas ideias, para que as entenda até o menos inteligente. E também, quando notar que o público não dá provas de se convencer do acerto dos seus argumentos, pode repeti-los uma e outra vez, ilustrá-los com novos exemplos e replicar às mudas objeções dos assistentes. Assim prosseguirá, até que o último reduto da oposição lhe manifeste, com a sua conduta e com as suas expressões, que capitulou por fim diante dos raciocínios reunidos para demonstrar o caso."

Estamos aqui diante da primeira razão do sucesso de Hitler: os seus dotes tribunícios, que o tornaram um sedutor de multidões. Ninguém soube, como ele, na Alemanha, sugestionar as massas, transformá-las em elementos dóceis, passivos.

"Tudo o que se repete incessantemente diante de uma multidão — afirmava — seja verdade ou mentira, ela acaba acreditando. É necessário, apenas, repetir a mesma coisa."

Sua eloquência obedecia a características especiais. Emil Ludwig, escritor insuspeito por ser judeu, informa que ele conhecia, melhor que ninguém, a arte de orador de comício, sabendo mostrar-se, conforme o momento, cômico ou grave, engraçado, trágico ou cínico. Era perito em fazer malabarismo com termos místicos, tais como "honra", "sangue", "terra", envolvendo o auditório naquela névoa que os alemães preferem à lógica e à clareza. Mostrava-se messiânico, profético. Vinha anunciar ao povo germânico, tão amante da metafísica, uma era promissora, ridente, maravilhosa.

Desde cedo pregou a rebelião e procurou provar aos alemães como a pátria de Goethe fora injusta e cruelmente castigada pelo Tratado de Versalhes.

Heinrich Himmler,
ex-criador de galinhas
que se julgava a
reencarnação de
um rei germânico

9

Aparecem os personagens mais importantes do futuro Terceiro Reich

Ernst Roehm, que tanto prestígio trouxe para o incipiente partido, era, acima de tudo, um militar. Homossexual notório, no futuro iria causar escândalos.

Hitler não parava, no afã de imprimir força ao partido. Organizava reuniões, cuidava dos pormenores da propaganda, desdobrava-se em múltiplos esforços para se tornar um líder temido e respeitado.

Nesses primeiros anos de luta vão aparecendo os personagens principais do drama nazista.

Um dos que logo entram em cena é Rudolf Hess, nascido no Egito, em Alexandria. Filho de um comerciante alemão, era um sujeito algo ingênuo, meio sonhador. Antes de se converter em piloto da força aérea, tinha servido no mesmo regimento de Adolf. Apaixonado pelos ideais nacionalistas, sentia grande admiração por Hitler. Este, por intermédio de Rudolf, conheceu as teorias geopolíticas de Karl Hallshofer, professor da Universidade de Munique.

Apesar de diversos escritores negarem a sagacidade de Hess, ele, segundo nos informa Dino Alfieri, não se deixava influenciar pelas previsões sempre otimistas de Hitler e nem, muito menos, pela propaganda nazista, mesmo quando esta atingia o auge.

Rudolf Hess foi talvez o único da *entourage* hitlerista que alimentava a certeza "de que Stalin dispunha de um ótimo exército e de grandes reservas de homens e de material bélico, e que, em qualquer eventualidade, a imensa vastidão da Rússia permitir-lhe-ia sucessivas retiradas, pondo o seu adversário numa situação difícil e impedindo-lhe um êxito definitivo".

Mas ainda é cedo, todavia, para discorrer a respeito do homem que se converteu em secretário de Hitler, tornando-se, pela sua lealdade, o segundo sucessor do Führer, pois o primeiro deveria ser Goering.

Hermann Goering, que nasceu em Rosenheim, na Baviera, durante a guerra de 1914-18 foi aviador, distinguindo-se na esquadrilha Richtofen. Possuía a mais alta condecoração alemã por heroísmo em linha de fogo: a medalha Pour le Mérite, instituída por Frederico II. Acompanhava-o uma auréola de glória e desprendimento. Ao ouvir falar de Hitler, ingressou no Partido Operário Nacional-Socialista.

Goering era hostil à República de Weimar. Havia participado de uma companhia comercial sueca e desposado a condessa Karin Fock. Em 1921, pouco antes de se aproximar de Adolf, cursava a Universidade de Munique.

Gottfried Feder, um engenheiro civil com ideias heterodoxas sobre economia, era um maníaco que impressionou vivamente Hitler.

Dietrich Eckart tinha pouco nome como jornalista, poeta e dramaturgo. Amigo íntimo de Roehm, demonstrava ser um nacionalista exacerbado, inimigo do clero e da democracia, racista convicto e adversário dos judeus. Exerceu poderosa influência em

Hitler: dava-lhe conselhos literários, emprestava-lhe livros, corrigia o seu estilo oratório.

Outro indivíduo que se torna amigo e partidário fervoroso do ex-pintor austríaco é Alfred Rosenberg. Originário de Reval, na Estônia, estudou arquitetura e engenharia no Instituto Politécnico de Riga. Em 1919, fez uma campanha contra o "judeu anticristo" que causou profunda impressão em Hitler. No seu livro *Os mitos do século XX*, Rosenberg ridiculariza os ensinamentos de Jesus, condenando o cristianismo como religião piegas, tola, muito sentimental para uma raça superior como a germânica. Afirmava que os laços de família e o sacramento do matrimônio eram coisas pueris, obsoletas.

Rosenberg, o homem que, podemos dizer, mais influenciou Hitler naqueles anos, era, conforme escreveu um jornalista, o protótipo do fanático asqueroso, do "blasfemo que vomitava o seu ódio e as suas obscenidades numa torrente contínua". Chamaram-no, desde o princípio, a "voz filosófica do partido". Jovem ainda, aprendeu a odiar a Rússia e a adorar a Alemanha. Paradoxalmente, entretanto, alistou-se no exército russo e combateu os seus ídolos germânicos.

A Rubônia, associação secreta de estudantes russos, inscreveu-o na sua folha de serviços como um dos mais perfeitos e eficientes agitadores. Os bolchevistas, porém, não lhe davam muita importância. Rosenberg, antes de mais nada um ambicioso insaciável, se enche de revolta, de despeito. Decide vingar-se, oferecendo os seus préstimos ao general alemão Von der Goltz, cujos exércitos ocupavam a capital da Estônia. Goltz rejeita semelhante oferta, pois desconfia da nacionalidade eslava de Rosenberg.

Quando o general se retira, ele também foge para a Alemanha, onde, em Munique, se põe ao serviço do príncipe herdeiro Ruperto, da Baviera.

Hitler aproveitou inúmeros conceitos de Rosenberg no seu *Mein Kampf*. É Rosenberg, na verdade, quem estrutura doutrinariamente o partido e defende o emprego da violência para a conquista do poder.

O primeiro programa do partido, no qual se acham as ideias de Hitler sobre o Tratado de Versalhes, foi desenvolvido por Rosenberg no livro que ele escreveu, intitulado *Do caráter, do princípio e dos fins do Partido Operário Alemão Nacional-Socialista.*

Também a primeira reivindicação do partido, conforme o programa hitleriano, foi preparada por Alfred Rosenberg, esclarece o escritor alemão Klaub Gorsberg. Esta reivindicação consta do seguinte:

"Só pode ser cidadão do Reich um membro do povo alemão, e só pode ser membro do povo alemão um homem com sangue alemão, sem entrosamento com as suas convicções religiosas."

Salienta Alan Bullock que o fato de Rosenberg ser arquiteto, logicamente impressionou muito ao homem que tanto havia desejado ingressar na Academia de Viena, tendo fracassado nesse intento:

"De modo simultâneo as discussões pedantes e pesadas do próprio Rosenberg sobre questões racistas e culturais (mais tarde publicadas em *Der Mythus des 20 Jahrhunderts*) induziram Hitler a considerá-lo como herdeiro do manto de Houston Stewart Chamberlain e grande profeta da nova *Weltanschauung*[2] racista."

Subdividia-se em três grandes partes o primeiro programa que continha as bases do Nacional-Socialismo:

I) Doutrina de raça e obrigação para todos os nacional-socialistas de conservar a pureza étnica.

II) Doutrina do Terceiro Reich.

III) Conquista de um espaço vital a leste da Alemanha.

Notamos, de maneira nítida, nos três itens, a marcante influência de Rosenberg.

---

[2] Literalmente "visão de mundo", em alemão.

Alfred Rosenberg, teórico da
superioridade da raça ariana

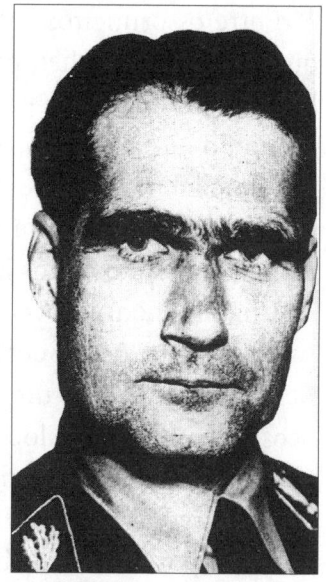

Rudolf Hess, fanático
admirador de Hitler

Hermann Goering,
futuro comandante da
força aérea nazista

Entre os primeiros colaboradores de Hitler, é preciso não esquecer Julius Streicher, professor de escola primária em Nuremberg, que se distinguia por um ferrenho antissemitismo. Streicher fundou o jornal *Der Stürmer*, no qual denunciava uma conspiração israelita mundial, revelada nos famigerados *Protocolos dos sábios de Sião*. Também era especialista em narrar fantasiosos crimes sexuais cometidos pelos judeus.

Uma das figuras mais importantes do nazismo desde o seu alvorecer é a de Josef Goebbels, nascido numa cidade industrial da Renânia. Era filho de um contramestre de fábrica. Seus pais, católicos fervorosos, o colocaram em várias escolas religiosas, e ele, após o término desses primeiros estudos, cursou as universidades de Friburgo, Munique, Bonn, Colônia, Wurtzburg, Frankfurt, Berlim e, por fim, Heidelberg, onde, aos vinte e quatro anos, obteve o grau de doutor em Filosofia.

Goebbels, entre todos os nazistas, era talvez o que possuía maior cultura e inteligência. Havia estudado com afinco História, Filologia, Arte e Literatura. Desejava mesmo ser escritor, tendo redigido uma novela e duas comédias que não obtiveram sucesso.

Por ter um pé deformado, foi declarado inútil para o serviço militar, durante a Primeira Guerra Mundial. Estas vicissitudes, acrescidas à derrota da Alemanha, deixaram um sulco amargo em seu espírito. Por largo tempo andou errante até que, em Munique, ouvindo falar de Adolf Hitler, se apaixonou pelas suas teorias e se converteu num entusiástico propagandista do mesmo credo.

Deparamos, numa das páginas do diário de Goebbels, com a impressão que Hitler, desde o começo, lhe causou:

"Düsseldorf. Hitler esteve aqui durante dois dias... Hitler, o querido e velho camarada. Como pessoa, qualquer um tem que se simpatizar com ele. É, ademais, uma personalidade atraente. Sempre se aprende algo de novo com este homem resoluto. Como orador, sabe combinar, com grande harmonia, gesto, mímica e linguagem. É um agitador de nascença. Com os seus dotes, um homem pode conquistar o mundo. Deixai-o solto e destroçará toda essa corrompida república. Suas frases mais belas de ontem foram: 'Deus se mostrou generoso conosco no curso da luta. A melhor dádiva que pôde ofertar-nos é o ódio dos nossos inimigos, os quais, por nossa vez, odiamos com todas as forças dos nossos corações.'"

Goebbels aí está, nestas linhas, com o seu fanatismo, a endossar o evangelho de destruição. No campo moral procedeu sempre de maneira tortuosa. Basta dizer que persuadiu a jovem mãe de um seu aluno a abandonar o marido, a fim de unir-se a ele.

Na sua obra *Due dittatori faccia a faccia*, Dino Alfieri, que foi embaixador de Mussolini em Berlim, descreve que quando Goebbels participava de uma das tradicionais manifestações, preparadas com pomposa encenação, "o público tinha, no primeiro momento, uma desagradável surpresa ao ver comparecer à tribuna um homenzinho magro, pálido, claudicante (uma enfermidade congênita obrigava-o a usar um sapato ortopédico, muito alto, e os seus inimigos costumavam chamá-lo 'O Diabo Coxo'), cujo aspecto modesto contrastava com o caráter do seu séquito de secretários e ajudantes de campo, todos de alta estatura e elegantes nos seus impecáveis uniformes".

Esta impressão, contudo, logo se desvanecia. Assim que começava a falar, com a sua voz de timbre forte e sonoro, com seus gestos apaixonados, movendo as mãos delicadas e finas, o público ficava subjugado, porque ele, de fato, era um grande orador, conhecendo a fundo a psicologia complexa das massas.

A princípio Goebbels empregou os recursos da sua eloquência para atrair estudantes ao partido. Hitler encarregou-o de doutrinar nas regiões da Renânia e do Ruhr, que se achavam ocupadas pelos Aliados. As autoridades francesas de ocupação o expulsaram, ao cabo de certo tempo. Em seguida Goebbels se instalou na cidade de Elberfeld, um dos grandes centros industriais da Alemanha,

Josef Goebbels, o "Diabo Coxo"

Julius Streicher, redator do nefasto jornal antissemita *Der Stürmer*

situada a vinte e sete quilômetros de Düsseldorf. Aí, no meio de milhares de operários, iniciou a sua evangelização. Para tanto se converteu no diretor do *Völkische Freiheit*, periódico nazista que atacava rudemente as tropas gaulesas de ocupação.

Heinrich Himmler, natural de Munique, mostrou-se adepto do partido nazista desde a sua constituição. Convenceu Hitler, antes que este subisse ao poder, de que a condição imprescindível para a manutenção de um regime sólido, duradouro, era uma polícia organizada, ultrassevera. Com seus olhos mongólicos, mais parecia um asiático do que um europeu. Aliás, ele nutria uma admiração ilimitada por Gêngis Khan. Julgava ser, entretanto, uma reencarnação do rei germânico Henrique, o Passarinheiro.

O futuro comandante da temível SS possuía, sem dúvida, um verdadeiro talento de organizador, aliado a um profundo conhecimento da natureza humana. Caracterizava-se por uma cega obediência a Hitler. Certa ocasião, o seu amigo Felix Kersten perguntou-lhe, brincando, o que faria se Hitler desse ordens para ele se enforcar imediatamente. Himmler respondeu que cumpriria a ordem com toda a precisão. O amigo indagou, porém, o motivo.

— Você não tem direito de formular tais perguntas — retrucou. — A vontade do Führer é a minha lei suprema. Se me ordena que o faça, eu saberei por quê. Não tenho mais do que executar as suas ordens.

Felix Kersten, de nacionalidade finlandesa, que foi massagista desse homem sinistro, responsável pelo extermínio em massa dos judeus, conta tal episódio no seu livro *Samtal med Himmler* [Eu fui confidente de Himmler]. E narra também que o amor de Himmler aos puros traços teutônicos atingia a idolatria:

"Disse-me, mais de uma vez, que estava convencido de que as pessoas louras e de olhos azuis não podiam nunca ser tão más como as morenas e de olhos negros. Declarou-me que depois da guerra, todos os cargos importantes da Grande Alemanha seriam dados a pessoas louras. Os alemães de cabelo negro ou castanho tinham que desaparecer. As louras gozariam privilégios especiais no Terceiro Reich. Aos homens das SS não se lhes permitiria que se casassem com mulheres que não fossem louras de olhos azuis. Assim esperava que, ao cabo de uns cento e vinte anos, a população da Alemanha teria recuperado o seu puro sangue germânico. E acrescentou: 'A História me agradecerá um dia por estas teorias. São a obra de minha vida. O povo alemão tem que subsistir. E não pode subsistir para sempre se o seu sangue não se purificar de todo o contágio negro'."

Himmler era um homem vulgar. Tinha ombros caídos, o tórax cavado, pescoço fino, rosto pálido, redondo, nariz levemente arrebitado, fronte fugidia. Não dava impressão de ser um modelar tipo ariano.

Hitler manejava Ernst Roehm, Rudolf Hess, Hermann Goering, Alfred Rosenberg, Julius Streicher, Josef Goebbels, Heinrich Himmler, seus companheiros de primeira hora, como um hábil prestidigitador que, movendo com destreza os cordéis, faz dançar, para gáudio de um público cada vez mais numeroso, os seus esquisitos bonecos de engonço.

Os nazistas, insuflados por Hitler, repetiam ao povo que o Tratado de Versalhes fora um acinte, uma gritante injustiça.

Absurdo! clamavam, absurdo devolver aos franceses a Alsácia e a Lorena! Como admitir o Corredor Polonês? E Dantzig, feita cidade livre! Memel, o rico porto do Báltico, administrado pela França! A Silésia, esplêndida conquista de Frederico II, da Prússia, cedida, na sua parte meridional, aos imundos cães poloneses!

E os ataques continuavam, verberando as modificações da fronteira germânica na região do Sarre, a renúncia que a Alemanha se vira forçada a fazer de suas possessões coloniais.

As críticas não cessavam. Combatiam as "vergonhosas humilhações" que o país sofria, sobretudo no campo militar. A Alemanha, deste modo, ficava sem armas para se defender do perigo bolchevista. Era ridículo, diziam, um exército de apenas cem mil homens, efetivo máximo tolerado pelas nações aliadas. E afirmavam ser reprovável, sob todos os aspectos, a dissolução do grande estado-maior alemão, a extinção do serviço militar obrigatório, o estreito limite imposto aos armamentos.

— Não há derrota! — berravam os membros do Partido Operário Nacional-Socialista. — O nosso povo é indomável. Vencerá todos esses percalços e esmagará, depois, os seus inimigos, entre os quais se coloca, na frente, o repulsivo judeu internacional!

A 17 de agosto de 1920, os alemães lutam contra os poloneses na Silésia.

As desordens se alastram: revolta dos comunistas na região do Ruhr, seguida de sanguinolenta repressão.

Na Áustria, vitória dos socialistas cristãos.

O assassinato de Erzberger, em 1921, revela o desassossego que grassa na Alemanha.

Mathias Erzberger era o protótipo do político militante. Professor, abandonou a carreira pedagógica a fim de se consagrar, por inteiro, à política e ao socialismo. Eleito deputado ao Reichstag, conseguiu inclinar a ala católica para a esquerda. Durante a Grande Guerra, no cargo de chefe da propaganda, desencadeou uma encarniçada campanha contra a França. Em seguida, após o armistício, propugnou pelo pacifismo. Os reacionários, qualificando-o de antipatriota, mataram-no em Griesbach, na Floresta Negra.

10

O golpe de Estado de 1923

A 24 de junho de 1922, Walter Rathenau, industrial e político alemão, foi assassinado pelos pangermanistas.

Rathenau, que havia sido diretor da principal sociedade de energia elétrica da Alemanha, a Allgemeine Elektricitäts-Gesellschaft (AEG), trabalhou, no início da Grande Guerra, para o estado-maior germânico, organizando um serviço de reabastecimento que salvou o país da penúria. Em virtude de sua comprovada capacidade, assumiu, depois, a chefia do Ministério da Reconstrução e das Reparações. Após ser nomeado ministro das Relações Exteriores e afirmar que cumpriria, ao pé da letra, o Tratado de Versalhes, perdeu a vida em trágicas circunstâncias.

Convém frisar que Rathenau era de origem israelita e tinha assinado, com a Rússia Soviética, o Tratado de Rapallo[3].

O crime fora perpetrado por estudantes nacionalistas, os mesmos que Hitler, mais os seus companheiros, incentivavam à revolta.

Adolf continua com os seus hábitos ascéticos, apesar da vida agitada que leva. Alimenta-se apenas de leite, pão e frutas. Evita as mulheres e bebe somente chá.

Segundo um relato de Himmler a Felix Kersten, citado na obra deste último, Hitler era impotente, mas sentia, não obstante, uma certa satisfação sexual quando falava a um grande auditório, chegando, em tais ocasiões, conforme confessava, a ter orgasmos.

Himmler disse a Kersten que Hitler professava um absurdo ódio aos cavalos. Queria que dessem tiros contra todos que ele via.

No seu trabalho sobre Hitler, publicado em Londres, Konrad Heiden narra a chegada de Adolf a uma festa, no ano de 1923, e transcreve a impressão que ele causou a um dos convidados:

"Hitler avisou à sua anfitrioa que tinha de assistir a uma reunião importante e que chegaria tarde. Chegou, creio, às onze horas, vestindo um modesto traje azul, com um imenso ramo de rosas que entregou à dona da casa ao beijar-lhe a mão. Quando o apresentaram, seu gesto era o de um agente do Ministério Público assistindo a uma execução. recordo que me chocou o timbre de sua voz quando agradeceu à senhora o chá e os pasteis que, incidentalmente, foram consumidos por ele em grande quantidade. Sua voz era marcadamente emotiva, mas não dava impressão de cordialidade, ou de intimidade, senão, melhor dizendo, de dureza. Sem embargo, logo após ter

---

[3] Pacto firmado na cidade italiana de Rapallo, em 16 de abril de 1922, entre a Alemanha e a Rússia Soviética, pelo qual os dois países renunciaram a todas reividicações territoriais e financeiras entre ambos.

falado, permaneceu em silêncio quase uma hora. Parecia cansado. Só quando a incauta anfitrioa fez uma observação sobre os judeus, defendendo-os de brincadeira, Hitler começou a discorrer e não se deteve. Levantou-se, em pouco tempo, e colocou a um lado a cadeira, sem deixar de falar, ou antes, de gritar, num tom de voz tão penetrante como jamais eu ouvi outro. Na habitação contígua despertou um menino, que se pôs a chorar. Mais de meia hora durou o seu engenhoso, embora muito parcial discurso acerca dos judeus. De repente, parou em seco, dirigiu-se à dona da casa para lhe pedir que o desculpasse, beijou a mão da dama e se retirou. O resto da assistência, que aparentemente não lhe havia agradado, só mereceu dele, na porta, uma brusca e ligeira inclinação."

Tal é o Hitler daquela época, podendo-se dizer que ele, pelo tempo afora, se conservou sempre o mesmo, à semelhança de um bloco inteiriço de granito que, embora rolando num despenhadeiro, não perde as suas agudas arestas.

As dificuldades econômicas da Alemanha iam aumentando, num ritmo crescente, e o governo, impedido de fazer face aos seus compromissos, solicitou moratória. Poincaré, presidente do Conselho e dos Negócios Exteriores da França, recusou-se a aceitar este pedido. E ordenou que as tropas gaulesas ocupassem o distrito do Ruhr, o mais importante centro industrial da nação tudesca.

O povo germânico, indignado, uniu-se num vasto movimento de resistência. O próprio governo alemão incrementou uma campanha de resistência passiva.

Hitler, que desenvolvia extraordinariamente o Partido Nazista, dando aos seus membros uniformes vistosos, paradas marciais, brigadas de choque, e um símbolo de política ariana e antissemita, a chamada cruz suástica, percebeu que o momento das ações mais práticas se aproximava.

Tudo, naquele ano de 1923, estava a seu favor: o sentimento nacional, que se encontrava ferido, o colapso do marco, a bancarrota dos negócios, a escassez de víveres, a acarretarem ódio, revolta, fome, miséria, pânico. Ele ambicionava, quanto antes, derrubar o governo republicano, mas para isto era mister doutrinar o povo. Com tal objetivo, Hitler reuniu em Munique cinco mil nazistas de choque, que deveriam participar de um desfile monstro nos fins de janeiro de 1923. Após essa espaventosa demonstração de força, faria doze comícios consecutivos.

Mas as autoridades, receosas, proibiram a gigantesca manifestação. Hitler correu ao chefe de polícia Nortz e suplicou-lhe que suspendesse a proibição. Nortz indeferiu o pedido e Hitler, espumando de raiva, resmungou:

— Os meus esquadrões de choque desfilarão de qualquer maneira, ainda que a polícia abra fogo.

De nada adiantou, tampouco, a intervenção de Roehm junto ao general Von Lossow. Só depois de muitas promessas, de várias negociações, a proibição foi levantada e Hitler pôde realizar os seus intentos.

Para fortificar o partido, cuja influência era ainda muito restrita, Adolf, em colaboração com Roehm, empreendeu uma aliança com quatro organizações nacionalistas da Baviera: a Bund Oberland, chefiada por Mulzer, as Organizações Patrióticas de Munique, dirigidas por Zeller, a Reichsflagge, do capitão Heiss, e a Liga Combativa da Baviera do Sul, do tenente Hoffmann.

Por muitas semanas Hitler procurou convencer o general Von Lossow a marchar em direção a Berlim. Tudo inútil, pois nem este militar, nem o governo da região, ousariam lançar-se nessa aventura.

Em fins de abril, os nazistas anunciaram que pretendiam dissolver as manifestações de 1º de maio, promovidas pelos socialistas e as uniões operárias de Munique, caso o governo da Baviera não proibisse as referidas manifestações.

Logo após tal decisão, Hitler foi entrevistar-se com o general Von Lossow e pediu-lhe, audaciosamente, as armas que se achavam recolhidas nos quartéis, pois, segundo assegurava, os comunistas preparavam-se para assentar um golpe de Estado.

— Recuso-me a permitir isto — retrucou o general. — O Exército, saiba o senhor, abrirá fogo contra qualquer indivíduo que provoque desordens nas ruas, sem levar em conta o partido a que pertença.

Hitler não desanimou. Foi à procura do coronel Seisser, comandante da polícia do Estado. Este lhe deu a mesma resposta.

O presidente do Partido Nazista viu-se num dilema angustioso. Se retrocedesse, passaria por covarde; arrojando-se a executar o seu plano, seria esmagado com muita probabilidade. Entre as duas alternativas, Hitler escolheu a mais perigosa: seguir adiante. Todas as brigadas de choque se armaram até os dentes e permaneceram à espera.

No dia 1º de maio, cerca de vinte mil nazistas concentraram-se nas imediações de Munique, aguardando ordens. Enquanto assim se agrupavam, os socialistas, na maior disciplina, desfilavam pelas ruas da bela capital da Baviera.

Ostentando um capacete de aço e, no peito, a sua Cruz de Ferro, Hitler apareceu acompanhado do capitão Heiss, de Rudolf Hess, Goering, Streicher, do comandante das brigadas de choque, de Frick, Himmler, Gregor Strasser, do tenente Rossbach, do coronel Kriebel, e dos chefes da Bund Oberland e da Reichsflagge.

Pouco depois, porém, Roehm surgia com ar aborrecido, trazendo um ultimato do general Von Lossow, exigindo que as armas fossem entregues imediatamente. Hitler foi compelido a ceder. E sentiu-se bastante humilhado perante os seus partidários.

Tudo, por fim, se acomodou, mas ele, experimentando um sentimento de frustração, resolveu afastar-se, durante algum tempo, das lides políticas.

Este quadro, pintado pelo artista alemão Hermann Otto Hoyer por volta de 1937, é intitulado *No começo era o Verbo* e retrata um Hitler quase messiânico, discursando na década de 1920 para uma audiência ávida pelas palavras dele

Um outro homem ocupava, então, a chancelaria do Reich: Gustav Stresemann.

Graças ao seu espírito ativo, laborioso, Stresemann havia sido um dos dirigentes da Allgemeiner Deutscher Burschenbund e, em seguida, síndico da União dos Industriais Saxões. Tinha ingressado no Reichstag como nacional-liberal, e no Parlamento adquiriu fama de orador enérgico e competente em questões econômicas. Após a morte de Bassermann, passou a ser o chefe da ala nacional-liberal do Reichstag, combatendo o chanceler Bethmann-Hollweg pela sua política de guerra. Opôs-se, também, às ideias dogmáticas do príncipe Büllow. Sectário, na Grande Guerra, dos que defendiam anexações extremas, mantinha amizade com Ludendorff, comandante do Estado-Maior. Consumado o Armistício, lutou pela união dos nacional-liberais com os novos democratas e os partidos avançados. Muito descontente, abandonou o partido, fundando o Deutsche Wolkspartei [Partido do Povo Alemão]. E a 12 de agosto de 1923, eleito chanceler do Reich e ministro das Relações Exteriores, Stresemann forma o governo chamado de Grande Coalizão, empreendendo, em companhia de Hitler e de Luther, a obra de pacificação da Alemanha e de restabelecimento da confiança. Suas prudentes medidas econômicas não tardaram a surtir efeito: cria o Rentenbank e começa a pelejar pela estabilização do marco.

Hitler, ao notar que Stresemann procurava, por todos os meios, terminar a campanha de resistência passiva no Ruhr e no Reno, acusou o governo berlinense de trair a oposição patriótica contra os franceses.

No Dia da Alemanha, celebrado em Nuremberg, Hitler desfilou ao lado de Ludendorff. E neste mesmo dia foi constituída uma nova frente de luta, que recebeu o nome de Deutscher Kampfbund, a qual visava o derrubamento da República de Novembro e a anulação do Tratado de Versalhes.

O apoio de Ludendorff vinha trazer maior força ao partido de Hitler.

Quando Stresemann ordenou a suspensão completa da campanha de resistência passiva no Ruhr, medida corajosa e inteligente, Hitler e seus apaniguados iniciaram uma agitação contra o governo.

Sem perda de tempo, Adolf decidiu realizar quatorze comícios em Munique. Knilling, primeiro-ministro da Baviera, assustou-se. E nomeou Gustav von Kahr, com poderes absolutos, comissário do governo. Von Kahr, rápido, proibiu os quatorze comícios. Hitler foi procurá-lo, para demovê-lo, mas ele se mostrou irredutível.

— Pois bem — bradou Hitler, em estado de fúria —, a minha resposta será uma rebelião sangrenta!

Transcorreram algumas semanas até que se anunciou, em Munique, um grande comício para o dia 8 de novembro, durante o qual falaria Von Kahr.

Na data mencionada, à noite, quando Kahr havia iniciado a sua arenga, tropas de choque nazistas, tendo Hitler à frente, encabeçando um grupo de homens fortemente armados, cercaram o local do comício.

Hitler, de pistola em punho, deu um tiro no teto, a fim de chamar a atenção da assistência. Em seguida, superexcitado, subiu à tribuna e trovejou:

— Começou a revolução nacionalista! O salão está rodeado por seiscentos homens armados. Ninguém pode sair. Foram abolidos os governos da Baviera e do Reich, e formou-se um governo provisório. Tomaram-se os quartéis do Exército e da Polícia. Tropas que carregam a suástica marcham sobre a cidade.

Auxiliado por Goering e sempre empunhando a pistola, Hitler empurrou Lossow, Kahr e Seisser, representantes da autoridade governamental, para uma habitação vizinha.

Hitler em 1924

Brandindo a pistola que nem louco, urrava:

— Ninguém abandonará esta habitação com vida sem a minha permissão! Formei um novo governo com Ludendorff! Aos senhores só resta uma saída: aderir!

Após soltar estas palavras, ergueu a arma e berrou:

— Tenho quatro balas na minha pistola! Três para os meus colaboradores, se me abandonarem, e a última para mim!

E apontando o cano para a cabeça, acrescentou, melodramático:

— Se não obtiver a vitória amanhã à tarde, eu me suicidarei!

Kahr não se impressionou com a atitude desvairada de Hitler. Por isto lhe disse:

— Você pode me prender ou me fuzilar. Não me importa morrer.

Seisser, friamente, observou a Hitler que ele, como presidente do Partido Nazista, tinha faltado à sua palavra de honra, ao prometer que não perturbaria a ordem.

Ouvindo esta observação da boca do chefe de polícia, Hitler respondeu:

— Sim, faltei a ela. Tive que fazê-lo, para o bem da pátria.

Mas, notando que Kahr conversava em voz baixa com Lossow, o ex-pintor gritou:

— Não podem falar sem a minha autorização!

Hitler então retornou à sala e, num lance ousado, proclamou:

— Foi dissolvido o ministério da Baviera. Proponho que se forme um novo governo com um regente e um primeiro-ministro com poderes ditatoriais. Proponho *herr* Von Kahr como regente e *herr* Pöhner como primeiro-ministro. Declaro derrubado o governo formado pelos criminosos de Novembro e deposto o presidente do Reich. Será nomeado um novo governo nacional aqui mesmo em Munique. Formar-se-á um exército nacional imediatamente... Proponho tomar a meu cargo, até que se ajustem as contas com os verdugos de Novembro, a direção política do governo central. Ludendorff assumirá a direção do Exército. Lossow será o primeiro-ministro do Reich e Seisser o chefe supremo da Polícia. A tarefa do governo provisório da Alemanha consistirá, principalmente, na organização da marcha sobre essa pecadora Babel que é Berlim, para salvar o povo alemão... O dia de amanhã contemplará um governo nacionalista na Alemanha ou os nossos cadáveres.

A multidão, eletrizada, aplaudiu com gritos agudos estas palavras.

Logo apareceu Ludendorff, que junto de Kahr, Lossow e Seisser, entrou na sala, os quatro acompanhados de Hitler, sob palmas do grande público. Eufórico, Hitler afirmou:

— Vou cumprir o juramento que fiz a mim mesmo há cinco anos, quando eu era um pobre cego inválido num hospital militar: não descansar nem conceder-me sossego algum até lograr a queda dos verdugos de Novembro, até que sobre as ruínas da infeliz Alemanha contemporânea surja mais uma vez um país potente e grandioso, livre e cheio de esplendor.

Neste momento Hitler foi chamado urgentemente para tratar de um caso das tropas de choque pertencentes à Bund Oberland. A reunião se dissolveu e, sem dificuldades, Lossow, Kahr e Seisser afastaram-se do recinto.

Milhares de nazistas se movimentavam, à espera de ordens.

Roehm, com tropas de choque, ocupou as oficinas de comando do Ministério da Guerra, lá permanecendo defendido por várias metralhadoras.

O governo central de Berlim não descansava, porém. Na mesma noite nomeou chefe do Exército o general Von Seeckt. A escola de infantaria, entrementes, comandada por Von Rossbach e pelo tenente Wagner, também se pôs em marcha.

As coisas, entretanto, começaram a sair mal para os nazistas. Fracassaram na tentativa de ocupar as casernas dos batalhões de pioneiros e do primeiro batalhão de infantaria. Kahr denunciou os acordos estabelecidos pelos dirigentes da intentona e lançou um edital, que ordenava a dissolução do Partido Nazista e das Ligas Patrióticas de Defesa.

Tropas do exército regular cercaram Roehm, enquanto uns três mil homens atravessavam a ponte de Ludwig. À frente desse pequeno exército marchavam Hitler, Goering e Ludendorff, acompanhados por diversos nazistas, como Ulrich Graf, Feder, o doutor Weber, Kriebel, Scheubner-Richter. Ajuntaram-se a estes homens Julius Streicher, Rosenberg e Albrecht von Graefe, representante dos nacionalistas do Norte.

A polícia, bem armada de carabinas, formava uma barreira na rua que ia desembocar na praça do Odeon, onde Roehm, no Ministério da Guerra, se encontrava sitiado.

— Não disparem — gritou o nacionalista Ulrich Graf —, aqui vêm Ludendorff e Hitler!

— Rendam-se! — ordenou Hitler.

Uma saraivada de balas estrugiu. O tiroteio durou somente um minuto. Rolaram por terra três policiais e dezesseis nazistas. Goering também recebeu um balaço. Seus companheiros o alojaram numa casa próxima. Weber, o líder da Liga de Defesa, desandou a chorar. Hitler igualmente perdeu o sangue frio. Voltou atrás e, ligeiro, com o auxílio do nazista Schultz, entrou num táxi amarelo.

O único que se mostrou firme, corajoso, foi Ludendorff, que ao lado do seu ajudante, o major Streck, avançou para frente, de cabeça erguida, até chegar à praça.

Não tardou que Roehm capitulasse. Goering fugiu, atravessando a fronteira, e Hitler, a 11 de novembro, se rendeu às autoridades.

Hitler, em 1923, na
prisão de Landsberg

11

Hitler, na fortaleza de
Landsberg, dita o Mein Kampf

O julgamento dos implicados na intentona teve início a 26 de fevereiro de 1924, na Escola de Infantaria de Blutenburgstrasse.

Sentaram-se, no banco dos réus, Ludendorff, Hitler, Pöhner, Frick, Roehm, Weber, Kriebel, Brückner, Wagner, Pernet, além de mais alguns acusados de importância secundária.

Hitler, com toda firmeza, assegurou que Lossow, Kahr e Seisser, estiveram realmente associados ao *putsch* e que, em hipótese alguma, poderiam eximir-se dessa responsabilidade. Todavia, a direção principal do movimento, a inspiração que o moveu, pertencia a ele, Adolf Hitler, e não aos outros.

— Assumo eu só toda a responsabilidade — gabou-se o filho do brigadeiro das aduanas austríacas —, mas nem por isso sou um criminoso. Se me acusam de revolucionário é porque me rebelei contra a revolução. Não pode existir alta traição contra os traidores de 1918. É impossível que haja cometido alta traição, porque a traição não estimulou os acontecimentos de 8 de novembro, mas sim esteve presente em todas as nossas atividades e no estado de nosso ânimo durante os meses anteriores. Eu pergunto a mim próprio, então: por que os que fizeram exatamente o mesmo não estão aqui sentados comigo? Se cometemos alta traição, muitos outros a cometeram também. Nego a minha culpa enquanto não se acrescentar ao meu pequeno bando os cavalheiros que me ajudaram até nos mais mínimos pormenores do lance... E sinto-me o melhor dos alemães, porque meu único anelo era obter o melhor para o povo germânico.

A habilidade mefistofélica de Hitler se patenteia nestas frases perturbadoras. Queria, sem dúvida, confundir os juízes. E acreditamos, sinceramente, que o conseguiu, em grande parte.

O general Von Lossow, desejando aparar o golpe, arremessou algumas ironias naquele "austríaco petulante", que se supunha um extraordinário e predestinado líder político:

— Julgava ser o Mussolini ou o Gambetta alemão — rugiu o general — e seu séquito, pensando herdar a monarquia bizantina, o teve por um Messias.

A intentona de Munique foi realizada, é provável, sob o estímulo de alguns precedentes. Um desses fatos anteriores, que muito contribuiu para o seu deflagrar, seria, decerto, a malograda tentativa de golpe de Estado chefiada por Wolfgang Kapp em Berlim, no ano de 1920. O governo socialista chegara, inclusive, a abandonar Berlim, refugiando-se na província. Até o Exército recusou-se a sufocar a rebelião, preferindo conservar-se neutro. Foram os sindicatos, ao declararem greve geral na capital alemã, que obrigaram os autores desse *putsch* a se entregar. Esse acontecimento tinha provado a Hitler que a República de Weimar possuía reduzidas condições de resistência.

Lossow acusou Hitler, abertamente, de ser movido apenas pela ambição. O líder nazista deu então uma réplica fulminante ao militar que o increpava, réplica que deixou o infeliz Lossow fremindo de indignação:

— Que pequenos são os pensamentos dos homens mesquinhos! Acreditem-me: não considero a aquisição de uma carteira ministerial como um atrativo que tenha algum valor. Não creio que um grande homem mereça passar à História apenas como um mero ministro. Poderia correr o risco de ver-se enterrado ao lado de outros ministros. Desde o primeiro momento aspirei a ser algo que está mil vezes acima do posto de um ministro. Ambicionei converter-me no destruidor do marxismo. Vou realizar esta tarefa, e se obtiver êxito, o título de ministro será, pelo que a mim toca, um absurdo. Quando pela primeira vez visitei o túmulo de Richard Wagner, meu coração transbordou de orgulho pelo homem que proibiu que em sua lápide se colocassem os seus títulos, tais como conselheiro privado, diretor musical, Sua Excelência, o barão Richard von Wagner, etc. Senti-me orgulhoso ao pensar que este homem, à semelhança de tantos outros na história do nosso país, legou o seu nome à posteridade excluindo todo o título. Não foi por modéstia que quis ser "o tambor" daquela época. Essa era a minha mais alta aspiração; o restante não valia nada.

E justificando, de maneira notável, a vocação do seu espírito, Hitler acrescentou:

— O homem que nasce para ditador já o é, não o empurram para isto. Não o fustigam, ele se fustiga a si mesmo e com isto não comete uma indecência. É acaso falta de modéstia, num trabalhador, propor-se a realizar o trabalho mais pesado? É acaso presunção no homem de fronte livre, no pensador, conjeturar de dia e de noite, até dar ao mundo um invento? O homem que se sente chamado a governar um povo não tem o direito de dizer: "se me aceitam ou me chamarem, eu cooperarei". Não, seu dever é adiantar-se.

O resultado do julgamento foi este: Ludendorff não recebeu nenhum castigo, mas Hitler ganhou a pena de cinco anos de cárcere.

Todavia, o presidente do tribunal assegurou que o líder nazista seria logo perdoado e posto em liberdade provisória.

Hitler ficou preso em Landsberg, um povoado que se localiza cinquenta milhas a oeste de Munique.

No cárcere, gozando de todas as comodidades, ele começou a ditar a Rudolf Hess o seu livro *Mein Kampf* [Minha luta].

Que afirma Hitler nesta obra, a Bíblia do nazismo? Assegura que a democracia ocidental era precursora do marxismo, o qual seria inconcebível sem aquela. Que o progresso vitorioso da indústria alemã, os ressoantes triunfos do comércio germânico, não seriam duradouros, a menos que estivessem fundamentados no princípio do Estado poderoso. Declara, no seu confuso e absurdo trabalho, que se dividíssemos a raça humana em três categorias — fundadores, conservadores e destruidores da cultura —, só a estirpe ariana poderia ser considerada como representativa da primeira categoria. Para ele a mescla de sangue e o menoscabo do nível racial, que lhe é inerente, constituíam a única e exclusiva razão do derrocamento das antigas civilizações.

Vejamos, porém, a essência do *Mein Kampf.*

Tudo, segundo este livro, se resume nestas duas coisas: raça e sangue. Os arianos, que pertenciam à raça superior, escravizaram as raças inferiores e, à custa desse domínio, construíram a sua civilização. O único erro consistiu nisto: em mesclarem-se aos povos inferiores. Os judeus se rejubilaram com tal fato, pois eles viram a desintegração da pureza racial dos povos ários.

Os israelitas constituem, afirmou Hitler, uma sinistra organização secreta mundial. A França, na Europa e no mundo, é a praça forte dos judeus. Estes queriam cruzar os franceses com os negros, para que se formasse um Estado mulato, cuja extensão iria do Congo ao Reno.

A Alemanha, por ser a potência ariana mais definida do universo, constituía o alvo preferido dos ataques israelitas.

Foram os judeus que organizaram a Guerra Mundial de 1914--18, a fim de reduzirem à inércia a raça germânica. Foram eles que instigaram a França a atacar a Alemanha. O bolchevismo é judaico, todo o socialismo marxista é um instrumento nas mãos desses hipócritas inimigos do Estado germânico.

Causa assombro ao leitor a desfaçatez de Hitler, que vai dizendo tudo isto a torto e a direito, sem apelar para nenhum documento, sem registrar, de forma irretorquível, a mínima prova.

Tem-se a clara impressão que o autor de *Mein Kampf* é um paranoico, muito inteligente, decerto, mas perseguido por uma torturante ideia fixa, que o obceca quase à loucura.

Estado forte! — vocifera Adolf Hitler. — Estado onipotente, sob a direção nacional-socialista, combate aos judeus, melhoria racial! Abaixo o Tratado de Versalhes, viva a expansão germânica no continente europeu! A Ucrânia deve ser conquistada para os camponeses alemães. A França? Destruída. O governo tudesco, no entanto, precisa aliar-se à Inglaterra e à Itália. Assim poderá esmagar a Rússia e, dentro de um século, transformar a Alemanha numa potência invencível, com duzentos e cinquenta milhões de pessoas, todas de raça pura, superior...

Custa a crer, a nós outros, que o país que deu ao planeta um Goethe, um Kant, um Beethoven, a nação dos grandes pensadores e artistas, tenha prestado atenção às teorias estrambóticas de um homem assim desequilibrado, cheio de ressentimento, de ódios pueris.

Hitler, na verdade, propugnava naquela época pelo cumprimento dos vinte e cinco pontos defendidos, em 1920, pelos partidos nacional-socialistas de Munique, Karlsbad e Viena:

I) União de todos os alemães.

II) Abolição definitiva do Tratado de Versalhes.

III) Terra e territórios para a produção de alimentos e colonização.

Saindo da prisão, em dezembro de 1924

Em 1934, Hitler visita a cela onde esteve preso dez anos antes

IV) Só as pessoas de sangue germânico fazem parte da nação. Os judeus estão excluídos.

V) Os que não são membros do país se acham entre os estrangeiros.

VI) Para ocupar os postos de governo não se deve ter considerações de partido, e sim de caráter e de capacidade.

VII) O Estado promoverá o bem-estar público.

VIII) Os nacionais radicados no estrangeiro serão excluídos da Alemanha e se impedirá a imigração não-alemã.

IX) Todos os cidadãos serão iguais em direitos e em deveres.

X) Todos os cidadãos trabalharão para o bem geral.

XI) Abolição das rendas que não forem ganhas.

XII) Confiscação dos benefícios de guerra.

XIII) Nacionalização dos trustes e monopólios.

XIV) Eliminação dos benefícios de comércio, sumariamente.

XV) Pensões à velhice e seguros sociais.

XVI) Proteção do pequeno comércio.

XVII) Reforma agrária.

XVIII) Extermínio dos que cometem crimes contra a nação, dos exploradores e dos usurários.

XIX) Substituição do Direito Germânico pelo Direito Romano.

XX) Educação nacionalista.

XXI) Melhoramento físico da nação.

XXII) Serviço militar obrigatório.

XXIII) Controle da imprensa.

XXIV) Liberdade para todas as religiões do Estado, sempre que não constituam um perigo para o mesmo.

XXV) Poder central muito forte na Alemanha.

É conveniente salientar que Hitler não esteve lavrando em terra árida. Suas ideias germinaram porque o solo era propício, fértil.

Veja-se, por exemplo, as palavras de Ludendorff, que foram proferidas na Associação dos Sargentos Bávaros:

"Presentemente não somos senhores da nossa casa, mas escravos que trabalham em proveito dos capitalistas estrangeiros. A nossa pátria não pode ser salva por qualquer regime ou partido, sem que todos os verdadeiros patriotas se unam para a restaurar. O nosso povo é capaz de prodígios. Retomemos a altivez, o orgulho dos alemães!"

A Alemanha esperava um Messias, um profeta que a tirasse da miséria e da vergonha de ter sido derrotada.

Hitler começou a encarnar esse papel de salvador da pátria. O seu prestígio aumentou ainda mais, enquanto se achava preso em Landsberg. Já carregava, em torno de sua cabeça, a auréola de mártir e herói do povo alemão.

Eis as quatro revoluções básicas pregadas por ele:

I) A revolução econômica, que consistiria em libertar o povo da servidão em que o mantinha a alta finança internacional.

II) A revolução social, que colocaria todas as forças, sem a menor exceção, ao serviço da comunidade, longe de considerar os interesses individuais ou os privilégios das classes.

III) A revolução política, que se destinava a substituir o regime parlamentar por um poder ditatorial, cuja força residiria no Führer, no chefe, e no assentimento das massas.

IV) A revolução moral, que reeducaria completamente o indivíduo para o obrigar a desenvolver todo o potencial de energia possível, fazendo dele, em todos os domínios, um combatente avançado do Terceiro Reich.

Dizia o líder nazista que a Alemanha necessitava de confiança em si própria. Tal confiança precisava ser cultivada entre os membros mais jovens da nação, da infância para cima. Toda educação e adestramento da juventude devia tender a inculcar-lhe a convicção de sua superioridade sobre as demais nações.

As horas livres de um rapaz seriam dedicadas somente ao exercício físico:

"Um rapaz não tem direito, durante os anos de sua mocidade, a vagar ocioso pelas ruas, provocando distúrbios e sujando-se em frente das casas: concluída a sua faina diária, deverá dedicar-se a curtir o seu jovem corpo, de modo que a vida não o surpreenda débil e desprevenido quando precise lutar pela mesma."

Quem espalha estes princípios espartanos é um homem pálido, de olhos azuis-claros, raiados de vermelho, tão pouco seguro dos seus nervos que parece histérico. Um homem que foi um adolescente fraco, enfermiço. Ex-tuberculoso, segundo alguns. Impotente, segundo outros. Sua aversão aos cavalos, aliás, ao que tudo indica, tinha um caráter freudiano. O cavalo é o animal viril por excelência, o próprio símbolo da sexualidade liberta, espontânea. Castigando-os, perseguindo-os, querendo matá-los, Hitler condenava, quem sabe, o vigor venéreo que ele não possuía, que desejaria ter. Dando tiros nos cavalos puniria a natureza, que fora tão ingrata para consigo.

Também o irracional ódio hitleriano aos judeus, tem, a nosso ver, uma aceitável explicação psicológica. É que os filhos de Israel sempre sobreviveram a todos os infortúnios. Atravessaram incólumes o Tempo, sem perderem as características raciais. Mostraram-se, invariavelmente, um povo fecundo, genésico, pois se mantiveram incorruptíveis, sob o ponto de vista étnico. Hitler, sendo impotente, como parece certo, era estéril, ou seja, o oposto da raça que ele detestava e perseguia. Daí, com toda probabilidade, seu furor vesânico, ilimitado, bárbaro, sanguinário. Por isto decretou o extermínio em massa do povo de Moisés, um povo amante do lar, da família. Como não haveria de odiá-lo, de invejá-lo, de maltratá-lo?

Ele, Adolf Hitler, nunca poderia experimentar, acreditamos, as delícias do amor conjugal, o prazer sublime, inefável, de acarinhar, beatificamente, o rostinho prazenteiro de uma criança que fosse fruto do seu sangue, carne da sua carne...

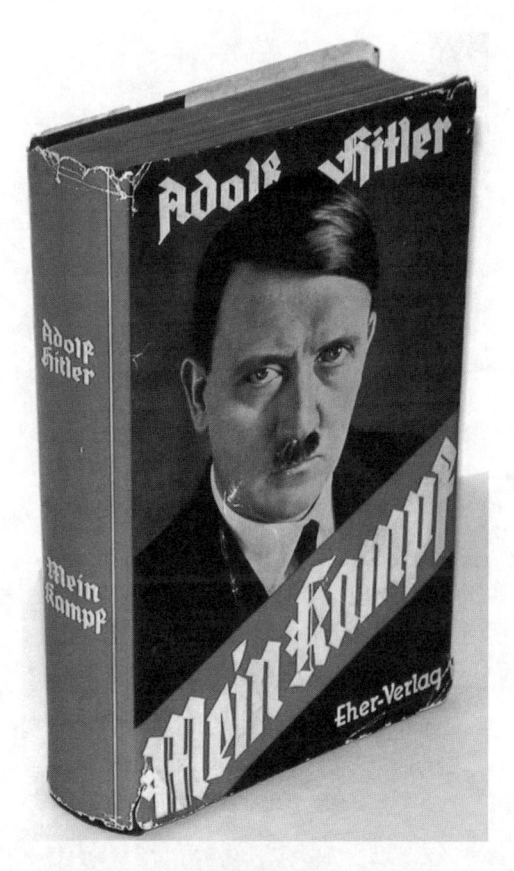

Edição do livro *Minha Luta*,
a Bíblia do nazismo, misto de
memórias e testamento político

12

Os anos de ascensão ao poder

Hitler deu ao seu livro um título comprido: *Quatro anos e meio de luta contra a mentira, a estupidez e a covardia*. Max Amann, que se encarregou de publicar a obra, resolveu sintetizar o nome para *Minha luta*.

O líder nazista esteve preso desde 11 de novembro de 1923 a 20 de dezembro de 1924.

As autoridades pretendiam deportá-lo, mas graças à intervenção de Guertner, ministro bávaro da Justiça, tal medida não se concretizou.

Assim que saiu do cárcere, ele procurou levantar a interdição que pesava sobre o partido. Escreveu, inclusive, um editorial, intitulado "Pela ressurreição do nosso movimento".

O seu retorno ao público dar-se-ia em breve. Com efeito, na noite de 27 de fevereiro de 1925, cerca de quatro mil pessoas se reuniram na cervejaria Bürgerbräu, ansiosas por vê-lo e ouvi-lo. Quando ele surgiu houve um colossal rebuliço. A multidão enlouqueceu de entusiasmo. Todos queriam avistá-lo, aplaudi-lo. Subiam nas mesas, nas cadeiras. Mulheres desmaiavam. Sem se mostrar demasiado objetivo, iniciou a sua parlenda, dizendo que indicava, ao povo alemão, a única rota a seguir. Também não era necessário enumerar todos os adversários da Alemanha. Bastava citar dois: os judeus e os bolchevistas. Dentro de um ano o povo poderia julgar a respeito do seu comportamento. Se ele, Adolf Hitler, neste prazo, não se conduzisse bem, não se desincumbisse da tarefa a que se havia proposto, colocaria o seu cargo nas mãos do povo.

"Mas até lá — acrescentou —, sou eu que chefiarei o movimento e ninguém poderá impor-me condições, enquanto estiver assumindo esta responsabilidade. Em nosso combate só há duas coisas possíveis: ou o inimigo passará em cima dos nossos cadáveres, ou nós passaremos sobre os seus. E eu desejo que, se a luta me abater na próxima vez, a bandeira da cruz gamada seja a minha mortalha."

Ao terminar a sua alocução, onde misturava carícias de gato selvagem com ameaças de violências, Hitler foi histericamente ovacionado pela massa em delírio. Streicher adiantou-se e, num discurso caótico, afirmou que Adolf era um "presente de Deus".

A situação econômica, porém, foi melhorando, e isso, é evidente, prejudicava os nazistas, aves de mau agouro. O doutor Schacht, encarregado das finanças, conseguira deter a inflação. Após a evacuação do Ruhr e do Reno, do Pacto de Locarno, a Alemanha iria ingressar na Sociedade de Nações.

A 28 de fevereiro de 1925, o presidente Ebert tinha morrido. Os nacionalistas decidiram proclamar Hindenburg seu candidato à Presidência da República.

A escolha foi hábil. Paul Beckendorf von Hindenburg sempre protestou contra o Tratado de Versalhes. Filho de um oficial prussiano, era um prussiano da cabeça aos pés, no rigor da palavra. Além do mais, possuía um nome ilustre, que começara a ficar aureolado de glória desde o dia que recebeu o seu batismo de fogo em Soor, sendo, por isto, condecorado com a Águia Vermelha. Depois tinha brilhado na campanha franco-prussiana, distinguindo-se em Saint Privat e Sedan. Professor de tática, vencedor da Batalha de Tannenberg contra os russos, chefe do estado-maior do exército alemão durante a Primeira Grande Guerra, Hindenburg representava, aos olhos do povo, as tradições de heroísmo e de bravura da história germânica.

Eleito presidente da República a 26 de abril de 1925, o velho militar recebe 14,6 milhões de votos, contra 13,8 a favor de Marx, o candidato dos liberais católicos e dos socialistas.

Os nazistas, porém, tinham algum receio de Hindenburg, conhecido pelas suas tendências conservadoras. Embora sendo monarquista, ele, uma vez empossado, nada fez para restaurar o trono dos Hohenzollern.

Já se disse que Hindenburg desprezava Hitler porque este era um simples cabo e ele era um marechal de campo, porque o chefe nazista "era um pequeno burguês e ele era um fidalgo, porque Adolf era austríaco e ele era prussiano".

No verão de 1925, Hitler alugou em Obersalberg uma casa. Nesta residência, localizada entre as montanhas de Berchtesgaden, ele passava a maior parte do seu tempo, tendo por companhia a sua meia-irmã viúva, Angela Raubal, e a bela filha desta, chamada Geli.

Em julho do ano seguinte, Hitler organizou uma concentração nazista em Weimar, da qual participaram cinco mil homens.

Era uma prova de que ele tomava, de novo, as rédeas do partido, estando disposto a conduzi-lo firmemente, apesar das discordâncias ideológicas que manteve, durante certo tempo, com os irmãos Strasser.

Nesse ano de 1926, os militantes nazistas atingiram o número de dezessete mil. Em 1927 eram quarenta mil. Já nos fins de 1928, alcançavam a soma de sessenta mil.

O partido, em 1928, estava dividido em dois setores. Gregor Strasser dirigia o setor incumbido de desmoralizar o regime republicano e Constantin Hierl se encarregara de formar os quadros do futuro Reich.

O coronel Constantin Hierl era um velho colaborador de Ludendorff.

Nos fins de agosto de 1928, Hitler convocou uma reunião de líderes em Munique. Discorreu, nessa ocasião, sobre a organização interna do partido, defendendo a ideia da criação de uma elite nazista, composta de cem mil membros, ou mais. Os outros sectários seriam apenas "aderentes". Não se esqueceu Adolf de depreciar as vitórias alcançadas por Stresemann no campo da política exterior. Disse que o povo alemão devia redimir-se da sua fé no Direito Internacional, e procurar, em primeiro lugar, ser educado consciente e sistematicamente de acordo com o ideário do nacionalismo mais fanático. Era mister libertar os alemães dos postulados democráticos, arrancá-los da estupidez do parlamentarismo. Tornava-se preciso, quanto antes, desiludi-los da crença que depositavam na reconciliação, na compreensão, na paz mundial, na Sociedade das Nações e na solidariedade internacional. Proclamou que no mundo só existe um direito: o direito que se baseia na sua própria força.

Stresemann era um pacifista e por tal motivo Hitler não o poupava.

Foi Stresemann o principal responsável pela estabilização do marco. Com Luther tinha assinado o Pacto de Locarno, que constituiu o primeiro intento de solução para os problemas fundamentais da Europa. Graças a esse tratado, que teve o endosso de Briand, as tropas de ocupação abandonaram a região da Colônia.

Devido aos seus esforços em prol da harmonia continental, Stresemann repartiu o Prêmio Nobel da Paz com Briand, o homem de Estado francês que chegou a ocupar o cargo de ministro nada menos que vinte e seis vezes, tendo sido, além do mais, doze vezes presidente do Conselho.

Stresemann via-se, portanto, atacado impiedosamente pelos partidos da direita.

Quando, a 27 de agosto de 1928, a Alemanha subscreveu o Pacto Kellog, os ataques ao governo recrudesceram.

Aristides Briand e Frank B. Kellog, secretário de Estado dos EUA, foram os iniciadores e os paladinos desse convênio. O aludido tratado condenava a guerra como solução dos conflitos internacionais. As nações signatárias comprometiam-se a apelar sempre para os meios pacíficos, a fim de resolverem as suas divergências políticas.

As investidas hitlerianas iam aumentando de intensidade. Ele sempre dizia que Stresemann era um traidor, que as suas ações eram inqualificáveis.

A Alemanha procurava solucionar, da melhor forma possível, o problema das suas dívidas de guerra. Na Conferência de Londres, celebrada em 1921, os aliados fixaram as reparações em 132 bilhões de marcos de ouro, mas o governo germânico não pôde efetuar o pagamento desta soma, em virtude do colapso econômico que teve de enfrentar. No ano de 1924, formulou-se um novo plano de reparações, conhecido pelo nome de Plano Dawes. Este, na cláusula principal, estabelecia que a Alemanha deveria pagar dois bilhões de marcos por ano, porém deixava de fixar a soma definitiva e o prazo de tempo concedido ao Reich para saldar a sua dívida. Em 1928, um comitê de técnicos em finanças, dirigido por Owen D. Young, banqueiro norte-americano, propôs que os alemães pagassem as reparações durante cinquenta e nove anos.

Hitler exultou. O Plano Young dava-lhe margem para condenar o governo da República que, com a cooperação de Stresemann, tinha o cinismo de rebaixar-se a tal ponto.

Stresemann, esgotado pelas lutas políticas e pelo excesso de trabalho, acaba perdendo a saúde. Em breve, a 3 de outubro de 1929, falece na Costa Azul.

Dois meses depois, Hitler e Alfred Hugenberg, um nacionalista fanático, publicaram um projeto de lei "contra a escravização do povo alemão". Neste projeto os seus autores pediam o cancelamento das reparações, negavam a responsabilidade da Alemanha pela declaração de guerra e acusavam os membros do governo de "alta traição" Mas os patrocinadores do projeto não conseguiram obter o apoio necessário para a sua aprovação.

Quando Hindenburg, cumprindo os seus deveres constitucionais, assinou as cláusulas relativas ao Plano Young, os nazistas ficaram indignados. Goebbels, com sarcasmo, perguntou no *Der Angriff*:

"Hindenburg ainda está vivo?"

Um homem que teve coragem de se opor às ideias de Hitler, nessa época, foi Otto Strasser, que possuía sólidos princípios socialistas. Strasser, certa feita, declarou a Hitler, com desassombro:

— Você quer estrangular a revolução em nome da legalidade e da sua colaboração com os partidos burgueses da Direita!

Adolf, com os olhos reluzentes de ira, de sobrecenho carregado, bramiu:

— Eu sou socialista, mas com um tipo de socialismo completamente distinto do que ostenta o seu enriquecido amigo Reventlow. Há tempos atrás fui um simples trabalhador. Não concordo que o meu chofer coma pior do que eu, porém, o que você entende por socialismo não é outra coisa que marxismo. Agora veja: as grandes massas de trabalhadores só querem pão e circo. Não compreendem os ideais e não podemos esperar ganhar em grande escala a simpatia dos operários, apelando para ideais que não entendem. Nós queremos fazer uma revolução destinada à nova casta dominante, que não se move, como você, pela ética da misericórdia, pois percebe, com absoluta clareza, que tem direito de dominar as outras, porquanto representa uma raça superior. Esta casta manterá e assegurará, implacavelmente, sua dominação sobre as massas. O que você prega é liberalismo, nada mais que liberalismo. Não há verdadeiras revoluções fora das revoluções

Hitler e Goebbels numa reunião do Partido Nazista em Nuremberg, 1927

radicais: não pode haver uma revolução política, econômica ou social. Isto é sempre e somente a luta das camadas mais baixas de uma raça inferior contra a raça superior dominante, e se esta raça superior esquece a lei da existência, então perde a batalha.

A vingança de Hitler contra o seu opositor foi a ordem que ele deu a Goebbels, determinando a imediata expulsão de Otto Strasser do partido.

Gregor, irmão de Otto, permaneceu fiel a Hitler.

* * *

Em 1928, o Partido Nacional-Socialista tinha obtido oitocentos mil votos e conseguira levar doze deputados ao Reichstag.

As eleições de 1930 se aproximavam e Hitler procurou obter o apoio econômico de grandes industriais, prometendo, em troca, protegê-los da ameaça comunista.

Criou-se uma caixa de socorro do partido, que ficou sob a responsabilidade de Martin Bormann.

Um dos primeiros capitães de indústria que ajudou Hitler foi Emil Kirdorf. Também Deterding, rei do petróleo, prestou auxílio ao ex-pintor austríaco.

A senhora Von Pfeffer, que conheceu Adolf nessa época, teve a impressão que ele sentia medo diante das mulheres.

Nas eleições de setembro, em 1930, foram eleitos cento e sete deputados nazistas. Hitler ficou surpreso. O progresso fora muito acentuado, enorme mesmo, porque em 1928 o partido só conseguiu enviar doze representantes ao Reichstag, eleitos por oitocentos e dez mil votos. Em dois anos, apenas, passara a ter seis milhões de eleitores! Do novo lugar onde se achava, como agremiação política, ocuparia, desde aí, o posto de segundo partido da Alemanha.

Dez dias após esta vitória, Hitler pronunciou em Munique um discurso para esclarecer os rumos que o Partido Nacional-Socialista devia tomar:

"Se hoje nossa ação emprega o Parlamento como sendo uma entre as suas diferentes armas, isto não quer dizer que os partidos parlamentares existam somente para fins parlamentares. Para nós, o Parlamento não é um fim em si mesmo, senão simplesmente um meio para um fim. Nós não somos, por razão de princípios, um partido parlamentar, o que seria contradizer a nossa perspectiva, mas sim um partido parlamentar por força das circunstâncias e da Constituição. A Constituição nos obriga a empregar estes meios... E desse modo, esta vitória que acabamos de obter não é outra coisa que a conquista de uma nova arma para a nossa luta... Nós não lutamos para conquistar assentos no Parlamento, mas ganhamos assentos no Parlamento a fim de um dia poder libertar o povo alemão."

Vê-se nitidamente, através de tais expressões, que Hitler era um inimigo ferrenho, indomável, do regime democrático. O princípio básico desse sistema político, aperfeiçoado por Locke e Montesquieu, isto é, a soberania do povo expressa pela vontade da maioria, não tinha, para Hitler, o menor sentido.

Ainda que não hostilizasse a religião abertamente, nesses anos de ascensão ao poder, Adolf denunciava o cristianismo como "judeu" e "não alemão". Admirava, porém, a organização da Igreja, enxergando nela uma máquina poderosa, muito bem dirigida.

Em setembro de 1931, ele sofreu um forte abalo emotivo: Geli Raubal, sua sobrinha, suicidara-se, dando um tiro no coração. Geli, conforme já dissemos, era uma formosa rapariga. Até hoje não se sabe por que se matou. Hitler, contudo, nutria um vivo afeto por ela e, ao que parece, sua morte o impressionou muito.

O primeiro encontro de Hitler com Hindenburg se realizou a 10 de outubro de 1931.

O presidente da Alemanha o recebeu, juntamente com Goering, na presença de Meissner, secretário de Estado. Hitler asseverou que não era simpatizante de uma política de violência, somente aspirava à renovação moral do povo alemão. Mas essas tiradas demagógicas parece que enfastiaram o velho e rígido militar, a ponto de ter dito, segundo se espalhou, que jamais nomearia chanceler um sujeito tão extravagante e pretensioso como o líder nazista.

Depois desta entrevista, que constituiu um fracasso, Hitler começou a batalhar pela demissão do gabinete de Brüning.

Numa reunião com industriais, efetuada no Park Hotel de Düsseldorf, capital da indústria alemã do aço, Adolf condenou Brüning por dar tanta atenção à política exterior do país que, no seu entender, se bastava a si próprio, não precisava das outras nações para progredir.

Só poderia haver incremento da vida econômica com o sustentáculo de um estado onipotente. Em consequência da fraqueza do governo, o comunismo havia se propagado. A situação financeira era resultante da situação política, os fatos assim demonstravam.

O Partido Nacional-Socialista, porém, vinha trazer a redenção do povo alemão. Os nazistas, chefiados por ele, Adolf Hitler, tinham adotado a inexorável decisão de destruir o marxismo na Alemanha. Haveriam de formar um corpo político duro como ferro, pois se assim não fizessem, o país se converteria em ruínas.

Os magnatas aclamaram Hitler, quando ele terminou de expor as suas ideias, e muito contribuíram, com seus donativos, para os fundos do Partido Nazista, que teria de enfrentar, logo, a campanha eleitoral que se avizinhava.

Um alemão mundialmente famoso, bom psicólogo, forneceu a Louis P. Lochner, antigo chefe do bureau da Associated Press em Berlim, autor do livro *What about Germany?*, a sua impressão a respeito daquele austríaco que começara a agitar a pátria de Schiller e de Kant:

— A impressão que tenho de Hitler — disse o psicólogo — é que ele não passa de um amontoado de complexos de inferioridade. Toda a sua arrogância, todas as manifestações teatrais que lhe são próprias, não passam da manifestação de um sentimento íntimo de inferioridade que ele tenta esconder por meio de uma supercompensação, aparentando ser imperioso e senhor de si próprio.

Anos mais tarde, quando Hitler já se havia tornado o dirigente supremo da nação tudesca, Louis P. Lochner fez a vários homens representativos do país esta pergunta:

— Por que permitiram que Hitler tomasse o poder?

A resposta que obteve de Karl Hoatermann, líder da formação republicana Reichsbanner; de Karl von Ossietzky, vencedor do Prêmio Nobel da Paz, que esteve preso num campo de concentração; de Paul Loebe, presidente do Reichstag, foi invariavelmente a mesma:

— Porque fomos democratas ingênuos, que acreditamos em nossas instituições democráticas. Estávamos habituados aos altos e baixos da política, e éramos de opinião que, quando um partido comete erros, outro ganha ascendência sobre ele, e desta ascendência resultam novas eleições parlamentares. Vimos o movimento de Hitler desenvolver-se e ganhar as eleições, mas como era natural, acreditávamos que o partido de Hitler cometeria, como tantos outros, os mesmos erros, e então voltaria a nossa oportunidade. Estávamos certos que ele não faria nada que prestasse, por isso deixamos de boa vontade que empreendesse a experiência. Quando começou a administração de Hitler, o slogan do Führer era: *"Gebt mir nier Jahre Zeit"* [Deem-me quatro anos para trabalhar]. Pareceu-nos certo. Novas eleições, pensamos, tirá-lo-ão do poder. A experiência de deixá-lo liderar o país por quatro anos seria uma experiência dispendiosa, mas como bons democratas, pensávamos que seria uma boa e merecida lição ao país, e assim liquidaríamos de uma vez para sempre o espectro do hitlerismo.

Hitler posando para várias fotos, em que comprovava seu talento como ator

13

Hitler, chanceler do Reich, faz uma "limpeza" no seu partido

Em 1932, o jornalista norte-americano H. R. Knickerbocker, autor da obra *Germany: fascist or soviet?*, foi recebido por Hitler, que lhe concedeu uma entrevista.

Adolf exibia um sorriso encantador. Ele próprio ajeitou a cadeira do jornalista. Trajava roupa preta, camisa branca, colarinho semiflexível e gravata escura. Knickerbocker observou que o bigode de Hitler, grosso, rente e estreito, "cobria um lábio superior longo, céltico", o qual dava às suas feições, quando em repouso, um ar de melancolia. Notou também que tinha uma aparência saudável.

O ex-pintor recebeu o homem da imprensa na famosa Casa Marrom, quartel-general do Partido Nacional-Socialista, um palácio de cem quartos. Adolf havia decorado o seu próprio escritório, que era todo atapetado e com suásticas nos vidros da janela. Em cima da sua escrivaninha repousava uma cabeça do líder fascista Mussolini, de bronze e em tamanho natural. Atrás da cadeira, em que estava sentado, se via um retrato de Frederico, o Grande. Numa mesa redonda, do centro, Knickerbocker viu uma estatueta representando um gigante acorrentado. Essa obra de arte chamava-se *A Alemanha escravizada*.

Quando a fitava, Hitler decerto tinha este raciocínio:

"Eu é que libertarei este colosso. Sou o redentor do meu povo, o Esperado e o Desejado, que vai tirá-lo do cativeiro."

Knickerbocker ouviu Hitler discorrer sobre as dívidas de guerra da Alemanha e a respeito da participação ianque ao lado dos Aliados, no conflito de 1914-18. O jornalista, ao cabo de certo tempo, perguntou-lhe se considerava possível um entendimento franco-germânico. Adolf replicou:

— Considero-o possível sob duas condições. A primeira é que o governo dos nacional-socialistas da Alemanha substitua o governo atual e restabeleça na Alemanha a honra e a dignidade do país. A segunda condição é que a França cesse de nos considerar uma nação de segunda classe. Enquanto os parisienses insistirem em chamar os alemães de boches, não será possível entendimento algum entre as duas nações.

Empolgado pelo assunto, que muito lhe agradava, Hitler prosseguiu:

— Os franceses, na verdade, têm medo. Houve um tempo em que Napoleão chegou a vir a Berlim e ainda, mesmo assim, a Alemanha levantou-se outra vez. Mas a França de hoje não é a França de Napoleão, e a Alemanha de hoje não é a Alemanha de Iena e Auerstadt. 1932 não é 1806.

Adolf continuou a dizer que os franceses estavam com medo. Eles haviam tirado dos alemães tudo quanto era possível tirar, disse o líder dos nazistas. Tinham furtado da nação tudesca a sua frota de guerra, a sua frota mercante, as suas colônias, o seu território, as suas mercadorias, os seus bens móveis, enfim, tudo, tudo!

Percebeu o jornalista americano que Hitler, falando da França, era um Hitler diferente. Convertia-se num impetuoso agitador.

Knickerbocker assistiu a um comício de Adolf no Circo Krone, de Munique. Oito mil pessoas se ergueram quando ele entrou na arena. Ficaram perfiladas e levantaram os braços, fazendo a saudação nazista. Os gritos ecoaram, apoteóticos:

— Viva Hitler!

E o jornalista pôde ver a multidão agitar-se com ele, rir com ele, sentir com ele:

"Com ele apuparam a França. Com ele vaiaram a República. Os oito mil adeptos que ali estavam eram os instrumentos com que Hitler tocava a sinfonia da paixão nacional."

Brüning, o chanceler, era católico, mas Hitler, anticristão, ganhava cada dia maior número de partidários.

O chanceler cuida, com muita habilidade, da reeleição de Hindenburg. Começa a promover uma campanha para reunir, ao seu redor, todos os antinazistas.

Adolf seria candidato nas eleições presidenciais de 10 de abril de 1932.

Na campanha eleitoral contou com o auxílio de vários homens, que depois alcançaram posições de destaque dentro do Terceiro Reich: Brückner, Schreck, Schaub, Hanfstaengl, Karl Brandt.

Iniciou a sua propaganda a 2 de março de 1932, na Jahrlundertballe, de Breslau. Nesse lugar pronunciou uma arenga, que foi ouvida por cerca de quarenta mil pessoas.

Hitler contava com uma equipe ativa de velhos amigos, nos quais depositava melhor confiança. Baldur von Schirach, por exemplo, era o incansável líder da Juventude Hitlerista, e Wilhelm Brückner exercia as funções de seu ajudante pessoal. Hans Frank se revelava um técnico proficiente em questões legais.

Havia outros, como Max Amann, o editor do partido; Otto Dietrich, chefe de Imprensa; Philipp Bouhler, administrador dos

Mesmo desprezando
Hitler, o presidente
Hindenburg acabou
nomeando-o chanceler
da Alemanha

Assuntos Juvenis, e o gordo e calvo Franz Xaver Schwarz, encarregado da tesouraria.

Os resultados das eleições não foram satisfatórios. Enquanto Hindenburg obteve 18.650.730 votos, isto é, 49,6%, Hitler recebeu 11.339.285 votos, ou seja, 30,1% dos sufrágios. Mas como nenhum dos candidatos conseguiu maioria absoluta, foi marcado, para o dia 10 de abril, um novo escrutínio.

O movimento em torno de Hitler cresceu de maneira notável. Divulgou-se um apelo a favor do líder nazista, assinado por quarenta e oito nomes famosos, entre os quais se viam militares, como o general Von Below; almirantes, como Von Levetzow; aristocratas, como o duque Carlos Eduardo de Saxe-Coburgo-Gota; grandes industriais, como Borbet.

Num dos seus mais concorridos comícios, Hitler indagou a Streicher e a Robert Ley:

— Acreditam que o destino teria feito tudo isto para mim de modo que, no presente, eu seja esmagado? Não, mil vezes não! Eu sou o instrumento de Deus para a libertação da Alemanha!

Apesar desse otimismo, os resultados das segundas eleições ainda não se mostraram animadores. Hindenburg tinha recebido 19.359.633 votos, tornando-se presidente do Reich por sete anos. Ele, Adolf Hitler, foi galardoado com 13.418.051 votos.

Por algum tempo engoliu o seu azedume. O marechal, relíquia do Império, o suplantava em prestígio no coração de milhões de alemães. Era preciso acabar com o mito Hindenburg, do contrário nunca chegaria a sua ocasião de apoderar-se do país. Mas de que forma? Hitler dava tratos à bola, porém não sabia.

Novas eleições, no entanto, já se anunciavam. Desta vez para o Reichstag.

Hitler se pôs em ação. Percorria, de aeroplano, toda a Alemanha. Falou em Leipzig, Potsdam, Dresden, Königsberg, Wurtzburgo, Nuremberg, Frankfurt, Essen, Darmstad, Schwenningen, em dezenas de cidades.

A 31 de julho houve o pleito, e o Partido Nacional-Socialista recebeu 13.700.000 sufrágios, ganhando duzentas e trinta cadeiras no Parlamento. Tornou-se, portanto, a agremiação política mais forte da República Alemã. Os social-democratas obtiveram cento e trinta e três cadeiras, e os comunistas apenas oitenta e nove.

Hindenburg, influenciado pelos *Junkers*, que se sentiam ameaçados nos seus interesses pelos manejos de Brüning, demitiu este último do posto de chanceler e nomeou, para o seu lugar, Von Schleicher.

O general Von Scheicher temia que Hitler pudesse substituí--lo. Resolveu, então, indispor o líder nazista com Hindenburg. Von Schleicher tinha os seus planos, as suas ambições pessoais.

Projetou, conforme tudo indica, um golpe de Estado, para eliminar Hitler e a camarilha unida a um grupo de industriais em bancarrota que cercava o presidente da República. Mas esta camarilha, que aguardava a ascensão de Hitler, decidiu prestar ajuda ao ex-pintor austríaco. Esses partidários de Adolf começaram a trabalhar para conseguir o afastamento do general que, segundo asseguravam, tinha simpatia pelo regime bolchevista. Quem iniciou este trabalho foi o ex-chanceler Von Papen.

Homem fino, inteligente, bem educado, Franz von Papen havia sido adido militar na embaixada alemã dos Estados Unidos, durante a Grande Guerra de 1914. Em 1916, envolvido nos complôs contra as fábricas de munições norte-americanas, viu-se obrigado a deixar a terra de Woodrow Wilson. Após o conflito filiou-se ao Partido Católico do Centro e organizou, em Berlim, um grupo aristocrático, denominado Herrenklub. Tal grupo conseguiu influenciar Hindenburg, para que este, no ano de 1932, nomeasse um gabinete autocrático, sob a chefia de Papen.

Frise-se, ainda, que Von Papen se achava estreitamente vinculado aos magnatas da indústria alemã. Para ajudar Hitler a tomar o poder, ele organizou, nos fins de janeiro de 1933, uma conferência na casa do banqueiro *herr* Schroeder. Nesta conferência os grupos políticos e econômicos da Direita apoiaram os nazistas.

Além do apoio de Schroeder, o maneiroso Von Papen conseguiu o auxílio do financista Thyssen, do industrial Hugenberg, do Reichsverband der Industrie e do Junker Landbund.

A 30 de janeiro de 1933, Hindenburg nomeou Hitler chanceler do Reich, em substituição ao general Von Schleicher.

Segundo Emil Ludwig, a nomeação resultou de uma intriga, pois o velho marechal escolheu Hitler pensando que o mesmo fosse governar junto com os outros partidos e sob a sua própria presidência.

Logo Adolf mostrou suas tendências totalitárias. Imediatamente pôs em ação as suas energias, a sua sagacidade, para que

O incêndio criminoso
do Reichstag, em 27 de
fevereiro de 1933

fosse aprovada, pela maioria do Reichstag, a Lei dos Plenos Poderes. Tal lei modificava por completo a Constituição. Hitler obteve êxito nesse objetivo.

Depois veio a dissolução e o incêndio do Reichstag, um dos maiores crimes políticos da História. O edifício do Parlamento foi tomado pelas chamas na noite de 27 de fevereiro de 1933.

Dois companheiros de Hitler desde a primeira hora, Goering e Goebbels, conceberam o projeto sinistro, a fim de lançar a culpa nos comunistas.

No lugar do incêndio foi encontrado um jovem holandês, meio louco, chamado Van der Lubbe, que levava num bolso uma ficha do Partido Comunista. Este holandês, mais três comunistas búlgaros que viviam em Berlim, chamados Dimitrov, Tanev e Popov, foram presos como incendiários. Detiveram, igualmente, o deputado alemão *herr* Torgler.

Em seguida os nazistas declararam que o fogo havia sido iniciado pelos bolchevistas, para darem o sinal de uma revolução sanguinolenta. Afirmaram os secretários de Hitler que possuíam provas concretas, as quais seriam em breve divulgadas. Mas estas provas nunca apareceram. A verdade, porém, já se sabe.

Através de um caminho subterrâneo, que ia da residência de Goering ao edifício do Parlamento, passou um pequeno grupo de homens das tropas de assalto. Estes indivíduos, com toda a calma, espalharam um preparado químico sobre as cadeiras, as cortinas, e os tapetes da Câmara dos Deputados. Após esse trabalho, regressaram pelo túnel, deixando que o holandês amalucado entrasse no prédio e lá consumasse a sua tarefa iconoclasta.

Mais tarde celebrou-se, na Corte Suprema de Leipzig, o julgamento dos acusados. Torgler e os três comunistas búlgaros foram absolvidos, pois não tinham a menor relação com o incêndio.

O pobre Van der Lubbe se mostrou incapaz, durante o julgamento, de articular frases coerentes. Parecia sofrer das faculdades mentais ou achar-se sob os efeitos de alguma droga. Foi condenado à morte e executado apressadamente.

Um dia após o incêndio, Hitler promulgou um decreto assinado por Hindenburg, que proibia o direito da livre expressão do pensamento. O Estado passava a controlar imprensa, as reuniões, o serviço postal, as comunicações telegráficas e telefônicas. Tal decreto, disseram os nazistas, era "uma medida de defesa contra os atos comunistas de violência".

Goering, por sua vez, teve o desplante de dizer, num comício realizado em Frankfurt, a 3 de março de 1933:

"Camaradas alemães: minhas medidas não podem ser prejudicadas por nenhuma ideia política. Não tenho, agora, que me preocupar com a justiça. Minha missão é unicamente destruir e exterminar, nada mais. Esta luta será uma luta contra o caos. Não vou empreendê-la com a força da Polícia. Um Estado burguês poderia haver feito isto. Evidentemente, eu farei uso do poder do Estado e da Polícia ao máximo, meus queridos comunistas. Assim, deste modo, vocês não chegarão a nenhuma conclusão errônea. A luta de morte, durante a qual meterei o punho nas bocas de vocês, eu a dirigirei com aqueles que estão ali..."

E ao finalizar a sua bravata, Goering apontou os camisas-pardas[4].

Hitler, pouco depois de ser nomeado chanceler, ordenou a criação de um novo departamento ministerial, o Ministério de Instrução Pública e Propaganda, tendo Josef Goebbels como diretor.

Na noite de 10 de maio, os nazistas resolveram queimar, em Berlim, na enorme praça Franz Josef Platz, os livros de escritores que eram considerados nocivos ao regime.

---

[4] Assim chamados por causa da cor dos seus uniformes, os camisas-pardas eram os membros das Seções de Assalto (SA), milícia paramilitar nazista, que não funcionava propriamente como uma tropa organizada, e sim como uma horda de baderneiros que intimidavam e agrediam adversários políticos.

Milhares e milhares de volumes, catados nas bibliotecas públicas e particulares, foram empilhados na referida praça, que se localiza entre a Universidade de Berlim e a Ópera do Estado.

Quando as chamas começaram a crepitar em volta do imenso monte de livros, os estudantes universitários, sugestionados pela propaganda nazista, se puseram a dançar, como se fossem uma tribo de selvagens na iminência de devorar um prisioneiro.

Nisto apareceu o ministro da Propaganda em pessoa, acompanhado de sua guarda. Goebbels tomou um microfone e proferiu estas palavras de triunfo, diante daquele estúpido ato de vandalismo:

"Camaradas estudantes, homens e mulheres alemães: a época do intelectualismo judeu terminou e o triunfo da Revolução Alemã abre um novo caminho franco ao espírito germânico... Vocês cumprem o seu dever ao entregar às chamas, a estas horas da noite, o endiabrado espírito do passado. É um ato grandioso, forte, simbólico, um ato que atestará perante o mundo inteiro que os fundamentos espirituais da República de Novembro desapareceram. Destas cinzas surgirá a fênix de um novo espírito... O passado morre entre as chamas. O futuro surgirá das chamas dentro de nossos corações... Alumiados por estas labaredas, nosso grito será: o Reich, a nação e o nosso Führer, Adolf Hitler! *Heil! Heil! Heil!*"

Uma salva delirante de palmas acolheu estas expressões.

O jornalista norte-americano Louis P. Lochner, que testemunhou a cena, disse que alguns correspondentes estrangeiros, ao verem o bárbaro espetáculo, ficaram desconcertados. Pareciam perguntar: "Que teria ocorrido à terra dos pensadores e dos poetas?"

Aquilo que Hitler mais ambicionava era o poder ilimitado, absoluto. Enquanto Hindenburg estivesse vivo, ele, o outrora obscuro cabo austríaco, não descansaria. O marechal tinha atingido os oitenta anos. Decerto beirava o túmulo. Adolf sabia que já se falava nos prováveis sucessores do ancião. Vinham à baila diversos nomes, entre os quais o do antigo príncipe Ruperto, o do filho de Hindenburg e o do genro do cáiser.

Nazistas queimam livros em 1933, em Berlim

Para que nada pudesse deter a sua marcha para o poder total, Hitler iniciou a tarefa de aniquilar todos os partidos. Até os sindicatos, considerados núcleos de marxistas, foram ocupados e saqueados. Vários comunistas, de repente, se viram presos em campos de concentração. Os escritórios do Partido Social-Democrático também sofreram invasão. Confiscou-se, de modo sumário, os fundos dos socialistas alemães. O Partido Bávaro do Povo se desintegrou, devido aos nazistas, e os seus líderes acabaram sendo encarcerados. Mesmo os nacionalistas, que antes apoiaram Hitler, tiveram de desaparecer.

Suprimidos arbitrariamente todos os partidos, a *Gazeta Oficial*, em 14 de julho, publicou esta lei:

O governo alemão aprovou a seguinte lei, que agora se publica para a sua promulgação:

Artigo Primeiro: O Partido Nacional-Socialista dos Trabalhadores Alemães constitui o único partido político da Alemanha.

Artigo Segundo: Qualquer pessoa que trate de manter a estrutura orgânica de qualquer outro partido político, ou de formar um novo partido político, será condenada à pena de trabalhos forçados até por 3 anos, ou a prisão pelo mesmo tempo, se o ato não incorrer em uma pena maior, segundo outras leis.

O chanceler do Reich: Adolf Hitler — O ministro do Interior do Reich: Frick — O ministro da Justiça do Reich: doutor Guertner.

Ao mesmo tempo Hitler mandava prender e perseguir as altas personalidades que se opunham ao nazismo. Brüning, o antigo chanceler, teve de emigrar. Paul Loebe, ex-presidente social-democrata da Dieta, foi preso, assim como vários membros do Partido Católico Bávaro.

A nacionalidade alemã podia ser retirada aos que a haviam adquirido por naturalização, entre 9 de novembro de 1918 e 30 de janeiro de 1933.

Todos os indivíduos atingidos por moléstias contagiosas, ou por cegueira, surdez, idiotia, teriam de submeter-se à esterilização.

Industriais que tinham interesse numa futura guerra, como Gustav Krupp, auxiliavam bastante o movimento nazista.

Depois de liquidar os seus adversários da Esquerda e do Centro, Hitler quis livrar-se dos seus aliados. O doutor Luther foi substituído, no Banco do Reich, pelo doutor Schacht. Hugenberg e Seldt foram também substituídos por categorizados elementos nazistas.

Himmler recebeu todo o apoio de Hitler para comandar a Tropa de Proteção ou SS, a fim de rivalizar com as SA, milícia nazista chefiada por Roehm. Nos anos subsequentes a SS cresceu de tal forma, que absorveu a Gestapo, polícia secreta alemã, e até 1945 chegou a empregar mais de um milhão de homens.

A perseguição religiosa iria também alcançar os católicos e protestantes. Defendiam o culto do "paganismo heroico", do homem de raça nórdica, ariana. Tal homem estava "de pé e não queria nem piedade, nem misericórdia". Jesus Cristo era "um Deus falso, um judeu, e portanto um choramingas, um fraco".

Rosenberg, na obra *Os mitos do século XX*, pregava que o movimento religioso alemão deveria explicar que o ideal de amor ao próximo precisava ser subordinado, necessariamente, à ideia da honra nacional.

Conta Robert d'Harcourt, em *O evangelho da força*, que nas escolas chegaram a ensinar as crianças a recitar orações iguais a esta:

Führer, meu Führer, que Deus me deu. Protege e conserva por muito tempo a minha vida. Tu salvaste a Alemanha dos abismos da miséria. É a ti que devo o pão de cada dia. Conserva-te muito tempo junto de mim, não me abandones. Führer, meu Führer, minha fé, minha luz. Heil, meu Führer!

Roehm tornava-se cada vez mais ativo, radical. Dirigente das Seções de Assalto, pertencia à ala esquerda do Partido Nacional-Socialista.

A propaganda nazista fazia uso da tecnologia de ponta da época, como o gramofone, permitindo que discursos e músicas marciais fossem ouvidos em locais públicos. Este disco é intitulado *Adolf Hitler – Nosso líder! Discurso do companheiro de partido Hinkel, membro do Reichstag*

Desejava ligar o Exército com as SA. Isto significaria, para ele, aumento de força.

No dia 4 de junho, Hitler teve uma conversa com Roehm, que durou cinco horas. Aconselhou-o a ser prudente, a se conter. A sua ambição era uma loucura, frisou Adolf, poderia conduzir a uma catástrofe.

Mas Roehm, segundo se propalava, pretendia apoderar-se da sede do governo, em Berlim, e aprisionar Hitler.

Os nazistas mais avançados, simpatizantes de Roehm, asseguravam que Hitler se achava ligado com a alta indústria, principalmente ao reacionário Gustav Krupp, fabricante de canhões.

Não demorou muito e foram presos chefes das Seções de Assalto.

Roehm foi capturado em Wiessee, após uma noite de deboche. Ele era homossexual, conforme já informamos. Até hoje pairam dúvidas sobre a forma de morte que lhe deram. Correu a versão que Brückner o assassinou a tiros. Outras fontes dizem que ele se suicidou no cárcere.

Himmler e Goering dirigiram as execuções em Berlim, destinadas a "limpar" o partido dos "maus elementos".

Oitenta guardas de assalto foram fuzilados pelos SS, no campo de concentração de Lichterfeld.

O general Von Schleicher foi morto a tiros na porta de sua casa. Os nazistas nem lhe pouparam a esposa, que caiu junto dele.

Von Bredow, outro general, também tombou no mesmo dia, sob uma saraivada de balas.

Hitler, enquanto a depuração se processava, pegou uma lista e marcou cento e dez nomes, com traços a lápis. Eram as pessoas que deviam ser liquidadas. Frank, ministro da Justiça, por acreditar na jurisprudência, objetou que nenhum princípio de Direito se aplicava a semelhantes execuções coletivas. Hitler perguntou-lhe, então:

— O senhor tem alguma piedade por esses canalhas? Tais sujeitos são criminosos de Estado. Eu, Adolf Hitler, chanceler do Reich, encarno o Estado e posso, pois, decidir a sorte dos prisioneiros.

Mas a intervenção de Frank fê-lo reduzir para dezenove nomes a lista dos condenados.

As execuções não paravam. Von Kahr, na Baviera, teve o corpo cortado em pedaços, devido às suas atividades no fracassado *putsch* de Munique.

Escolheu-se, para lugar principal das execuções, a Escola de Cadetes de Lichterfeld.

Entre os mortos se achava Gregor Strasser, cujo desaparecimento Hitler fingiu lamentar.

Na Silésia, em Hirschberg, membros da SS eliminaram um grupo de judeus, a fim de se divertirem.

Von Papen, cujo discurso intitulado "Muito velha Alemanha", pronunciado quinze dias antes, desagradara bastante aos nazistas, esteve também prestes a ser detido ou assassinado, mas conseguiu salvar-se por milagre.

Willi Schmidt, crítico musical do *Muenchner Neueste Nachrichten*, encontrava-se em Munique tocando violoncelo, na noite de 30 de junho. Enquanto a sua esposa fazia a ceia, os seus três filhinhos brincavam. Nisto a porta se abriu e quatro homens da SS entraram e o levaram.

Soube-se, mais tarde, que o crítico musical havia sido fuzilado por engano, em virtude de ter o mesmo nome da pessoa que os nazistas procuravam.

Devolveram à viúva o cadáver do marido e enviaram-lhe algum dinheiro, lamentando o equívoco.

A infeliz senhora recusou-se a embolsar a quantia. Himmler em pessoa aconselhou-a, por telefone, a receber o dinheiro e ficar calada. Mas ela continuou a rejeitar aquela macabra indenização. Foi preciso que Rudolf Hess interviesse e a convencesse a aceitar uma pensão do Estado, dizendo-lhe que a morte de Schmidt fora "a de um mártir por uma grande causa".

Quando a "operação de limpeza" terminou, mil e setenta e seis pessoas haviam sido executadas.

Depois do morticínio, Hitler, bem humorado, observou a Rauschning:

— Eles me subestimaram porque venho de baixo, porque não tive instrução, porque não tenho os modos que os seus cérebros de vento acham corretos... Mas eu fiz naufragar os seus planos. Acreditavam que não me atreveria, que o medo ia paralisar-me. Já me viam retorcendo em sua rede. Julgavam que podiam utilizar-me como instrumento. Por trás se riam de mim e diziam que eu não tinha poder algum, que havia perdido o meu partido. Eu vi tudo isto faz muito tempo, mas esperei até o instante em que lhes dei um trompaço no ouvido, do qual vão lembrar-se durante muito tempo. O que perdi na ação das SA, vou recuperar pelo veredito que recairá sobre esses especuladores feudais e esses trapaceiros profissionais... Agora estou mais forte que nunca. Adiante, senhores Papen e Hugenberg! Estou preparado para o próximo *round*.

14

Hitler torna-se o Führer e se apodera da Áustria e da Região dos Sudetos

O chanceler austríaco Engelbert Dollfuss mostrava-se um tenaz inimigo do nacional-socialismo germânico. Ele era partidário de um nacionalismo cristão estribado nas doutrinas da Igreja Católica. Vendo que os nazistas se tornavam cada vez mais perigosos, mormente depois dos comícios que realizaram no Nationalrat (uma das duas casas do parlamento austríaco), Dollfuss dissolveu a Bundesversammlung, ou Assembleia Federal. Proibiu, além disso, o uniforme nazista, e suspendeu a liberdade de imprensa.

Os nazistas ficaram enraivecidos. Apelidaram-no, em alusão à sua pequena estatura, de "chanceler de bolso".

Dollfuss, ao contrário de Hitler, era um homem preparado, de cultura. Tinha estudado Direito em Viena e Economia em Berlim.

Hitler não entendia nada das ciências que interessam ao progresso de uma nação. Dollfuss era profundo conhecedor de agronomia, tanto assim que havia tomado parte ativa nas organizações agrárias, chegando a ser, inclusive, secretário da Liga de Camponeses da Baixa Áustria. Depois, antes de ocupar o posto de chanceler, tinha exercido o cargo de ministro da Agricultura, durante o gabinete Ender.

Transformado em chefe do governo austríaco, procurou restabelecer o equilíbrio financeiro, pelejando pela estabilização do xelim e a reorganização do Creditanstalt, o mais importante estabelecimento bancário de Viena.

Os asseclas de Hitler começaram a promover agitações na Áustria e atos de terrorismo.

Hitler já sonhava com a *Anschluss*, isto é, com a incorporação da Áustria à Alemanha.

Uma antiga lei, promulgada em 1918 pela Assembleia Austríaca, rezava que a Áustria germânica era uma parte integrante da República Alemã. Também o artigo sessenta e um da Constituição de Weimar previa a anexação da Áustria ao Reich germânico, mas o artigo oitenta do Tratado de Versalhes estabeleceu que a Alemanha reconheceria e respeitaria, ao pé da letra, a independência austríaca, e que esta independência seria inalienável, exceto com o consentimento do Conselho da Sociedade das Nações.

Em 1921, por ocasião de um plebiscito, verificou-se que noventa por cento do eleitorado austríaco era a favor da anexação. Entretanto, após a subida de Hitler, a Áustria se rebelou energicamente contra a política nazista.

A própria terra de Hitler o renegava!

Mussolini proclamou a Itália protetora da independência austríaca.

A 3 de outubro de 1933, fracassou um atentado contra Dollfuss.

As agitações, promovidas por Hitler, não cessavam. No ano seguinte, em fevereiro, o chanceler austríaco teve de reprimir, violentamente, um levante de trabalhadores.

Dollfuss era um adversário corajoso. Não se intimidava. Para melhor enfrentar os nazistas, aboliu a antiga Constituição e a substituiu por outra, de tipo corporativo. Em seguida concentrou, em suas mãos, poderes ditatoriais, controlando, de maneira direta, os serviços afeitos à Agricultura, à Defesa, às Relações Exteriores e à Segurança Pública.

A 25 de julho de 1934, todavia, um grupo de nazistas austríacos, com uniformes do exército regular e da polícia, assaltou o palácio histórico da Chancelaria de Viena. Dollfuss caiu, varado de balas.

Hitler, como chefe supremo do Partido Nacional-Socialista Austríaco, quis logo ajudar o movimento revolucionário.

A Itália, contudo, agiu logo, enviando tropas para a sua fronteira com a Áustria. Em virtude disso, Hitler recuou. Deu ordens imediatas. Mandou regressar a Legião Austríaca, que já estava em marcha. Determinou o fechamento da fronteira. Destituiu de suas funções Theo Habicht, inspetor alemão do Partido Nacional-Socialista. E fez mais: colocou Von Papen no lugar do doutor Rieth, que era o embaixador germânico em Viena.

Hitler, como vemos, soube conter-se. Ele viu que ainda teria de esperar pela *Anschluss*. Decerto consolou-se ao pensar que, com a morte de Dollfuss, havia desaparecido um adversário intrépido, que lhe poderia dar futuras dores de cabeça.

Hindenburg mais se assemelhava a um títere, movido pelos dedos rapaces de Hitler, do que o presidente de uma grande nação. Que tinha ele feito? Encobriu o criminoso incêndio do Reichstag e permitiu a destruição da Constituição que havia jurado defender...

Por ocasião da "limpeza" que Hitler executou no partido, acabando com os "traidores", Hindenburg achava-se seriamente enfermo, já com o pé no túmulo.

Quanto tempo viveria ainda o glorioso soldado? Esta questão há muito preocupava o líder nazista. Tinha consultado dois médicos, mas cada qual lhe dera uma opinião diferente.

Esta pintura, comissionada pela propaganda nazista e intitulada *O porta-estandarte*, representa Hitler como um cavaleiro mitológico de armadura reluzente

Hitler, bem menos glorioso,
em caricatura de David Levine

Se Hindenburg morresse, e isto poderia acontecer de um momento para o outro, porque o marechal estava bastante avançado em anos, Hitler teria de aguardar a eleição de um novo presidente ou demitir-se por formalidade.

Assim que o ancião entrou em agonia, Hitler correu ao seu leito de morte, para se certificar de que Hindenburg ia de fato abandonar o mundo dos vivos.

Sem perda de tempo, reuniu o gabinete em Berlim e fez decretar uma lei, segundo a qual as funções de presidente e chanceler do Reich seriam assumidas por ele, na qualidade de Führer do povo germânico.

Tal lei tem a data de 1º de agosto de 1934. Foi redigida, por conseguinte, um dia antes da morte de Hindenburg.

Von Blomberg, ministro da Guerra, apoiou esta patifaria e, por isto, Hitler ficou garantido pelo Exército.

Quando Hindenburg cerrou as pálpebras, Adolf Hitler, o ex-vagabundo dos asilos de Viena, se havia metamorfoseado no homem mais poderoso da Alemanha.

Adolf decretou funerais nacionais para o presidente falecido e luto de quatorze dias.

O corpo de Hindenburg foi depositado num grandioso mausoléu, em Tannenberg, onde ele derrotara os russos vinte anos antes.

Envergando modesta camisa castanha, Hitler inclinou-se diante da urna que continha os despojos do marechal. Em breve oração, despediu-se do cadáver e bradou:

— Marechal, entrais agora no Valhala!

O canhão troava no campo da luta cruenta, enquanto as bandas de música tocavam a *lied* popular "Ich hatt' einen Kameraden".

Tornava-se necessário, contudo, um plebiscito, para que o povo alemão confirmasse a usurpação da chefia suprema do país.

Quatro dias antes do plebiscito, publicou-se um testamento recém-descoberto de Hindenburg, no qual este desejava que "o movimento do seu chanceler Adolf Hitler continuasse a contribuir para a prosperidade do povo germânico".

O *Times* de Londres disse que esse testamento era "tão importante quanto o incêndio do Reichstag".

Ninguém, de fato, conseguiu ver o testamento, nem fotografá-lo, mas o filho de Hindenburg sublinhou, num discurso radiofônico, pronunciado nas vésperas do plebiscito, que o seu progenitor considerava Hitler como o seu sucessor legítimo, imediato.

Houve um controle secreto dos boletins, por ocasião do plebiscito. 38.362.760 votos foram favoráveis à ascensão de Hitler. 4.294.654 de eleitores disseram "não".

O povo alemão, portanto, aceitava, por esmagadora maioria, a ditadura de Hitler.

Rosenberg ficou ébrio de alegria, tendo escrito no *Völkischer Beobachter*:

"A Alemanha é Hitler. Hitler é a Alemanha."

O filósofo e historiador Oswald Spengler tinha publicado, nessa época, a sua famosa obra *A decadência do Ocidente*. Hitler não havia gostado das conclusões de Spengler, porque achava que ele, como Führer, iria impedir esse declínio. Entrevistou-se com o filósofo e tentou convencê-lo da verdade de suas teorias. O escritor ficou entediado e, mais tarde, declarou:

— Hitler possui todos os defeitos do homem de partido, sem as grandes virtudes do homem de Estado. Tudo nele é impulsivo, sem nada de criador. É um perigo mortal... Eu sofro terrivelmente quando penso em sua pessoa.

Spengler teve a presciência do sábio:

"É um perigo mortal..."

Adolf não demorou em estabelecer o serviço militar obrigatório. Ao mesmo tempo, impulsionou a política do rearmamento. Estas medidas constituíram uma cínica violação do Tratado de Versalhes.

O fascínio que Hitler exercia
sobre os jovens era espantoso

As primeiras leis contra os judeus foram promulgadas. Teve início, assim, a perseguição legalizada aos israelitas, que começaram a sofrer toda sorte de vexames e crueldades.

Uma concordata foi firmada com Roma, a fim de dirimir os problemas da política exterior, relacionados a questões de influências e alianças.

A Alemanha logo se retira da Conferência do Desarmamento e da Sociedade de Nações.

No dia 26 de janeiro de 1934, Hitler firmou um tratado com a Polônia, suspendendo por dez anos o ajuste das questões pendentes entre os dois países.

Dois anos depois, em 5 de março de 1936, o Führer ordenou que trinta mil homens marchassem para ocupar a Renânia.

O Tratado de Locarno, firmado com o apoio da França, Alemanha, Grã-Bretanha, Itália e Bélgica, estipulava que estas nações se comprometiam a manter as suas fronteiras mútuas, abstendo-se, cada qual, de apelar para a força. A Alemanha, segundo esse acordo concluído em 16 de novembro de 1925, reconhecia a desmilitarização da zona do Reno.

Hitler determinou que se efetuasse um plebiscito na zona ocupada do Reno. Votaram 44.911.489 eleitores, sendo que 44.461.278 se pronunciaram solidários com a medida hitleriana. Portanto, noventa e oito por cento dos sufrágios foram a favor do Reich.

É nesta época que Adolf fica conhecendo Eva Braun, formosa e alegre filha de um professor de ensino técnico. Travou relações com ela por intermédio de Heinrich Hoffmann, fotógrafo do partido.

Em 1935, Winston Churchill perguntava, num trabalho que escrevera sobre Hitler:

"Que espécie de homem é esse sombrio personagem que realizou tão soberbo esforço e desencadeou tão terríveis males? Estará ainda exposto às paixões que fez nascer? Na irradiação plena do triunfo humano, à frente da grande nação que levantou do pó, atormentá-lo-ão ainda os ódios, os antagonismos que o animaram durante a sua luta desesperada, ou a influência calmante do sucesso lhe terá feito rejeitar esses ódios, como se atiram as armaduras e os gládios cruéis após a batalha?"

Churchill, naquele ano, achava impossível julgar com segurança um político como Hitler, chegado a uma tal situação. Lembrava que a História está cheia de exemplos que nos mostraram terem sido considerados magníficos, grandes caracteres, certos homens que alcançaram o poder através de meios escusos, senão horrendos.

Era demasiado cedo, ponderava o futuro adversário de Adolf, para saber se o Führer seria o indivíduo que desencadearia de novo a guerra sobre o mundo, guerra desastrosa, fatal, em que a civilização pereceria irremediavelmente, ou se ele era o "homem capaz de restituir à Alemanha a paz de espírito, elevando-a e reconduzindo-a, forte, poderosa e tranquila, ao lugar de honra no convívio da família europeia".

Julgando Hitler apenas pelo passado, todos deveriam estar inquietos, asseverava o estadista inglês, pois, até aquele instante, a vitoriosa carreira do líder nazista não fora somente nutrida por um amor apaixonado pela Alemanha, mas também por uma intensa corrente de ódio, que fizera mirrar o coração dos que o acompanhavam.

Lucidamente Churchill salientou que Hitler era o resultado do desespero, da cólera de um poderoso império esmagado pela derrota formidável da guerra:

"Eu sempre pensei que era preciso reparar os males feitos aos vencidos antes de proceder ao desarmamento dos vencedores. Muito pouco se fez para remediar as injustiças dos tratados de Versalhes e do Trianon. Pôde sempre Hitler, nas suas campanhas, acentuar um certo número de anomalias secundárias e de injustiças étnicas no ajustamento territorial europeu, e disso se serviu para alimentar o descontentamento que o tem sustentado."

O ex-correspondente do *Morning Post* durante a Guerra dos Bôeres estava muito curioso. Queria saber a verdade a respeito de Hitler. Indagava o que ele iria fazer do poder de que já dispunha, daquela força que avultava continuamente.

A Áustria, depois da Primeira Guerra Mundial, foi impedida pelos Aliados de unir-se à República Alemã. Viveu, então, como estado independente, auxiliado pela Sociedade das Nações.

A Dollfuss sucedeu o chanceler Schuschnigg, que pretendeu restaurar os Habsburgos no trono. Schuschnigg estava influenciado pelos católicos.

Hitler já havia começado a exigir a anexação da Áustria ao Terceiro Reich.

Os católicos austríacos viam a solução dos problemas do país numa estreita aproximação com a Itália, pois esta poderia salvaguardar a independência nacional, afastando a tutela alemã.

Hitler, para atrair a Áustria, entrou em negociações com Mussolini. Por tática firmou um tratado, a 11 de julho de 1936, em que reconhecia, voluntariamente, a soberania austríaca.

O novo exército alemão era constituído, sob o ponto de vista oficial, de trinta e seis divisões. Mas o Führer tinha poderes para aumentá-lo, até o limite que julgasse conveniente. Tal exército deixou de ter a designação de Reichswehr [Defesa Nacional], que recordava o período humilhante de Versalhes, e recebeu o nome de Reichsheer [Exército Nacional].

O mecanismo desse novo exército ressuscitado por Hitler era mais prático que o antigo, anterior a 1918. Possuía maior maleabilidade e uma tendência nítida para a especialização, com quadros selecionados de técnicos.

A marinha de guerra pôs em execução um programa de armamentos navais, que constava da construção de couraçados de 35 mil toneladas e de cruzadores de 25 mil toneladas.

Goering encarregou-se da aviação, que se tornou superior à de todos os outros países europeus.

Em maio de 1935, Hitler denunciou as cláusulas do Tratado de Versalhes que limitavam o nível de armamentos do Reich.

A fim de evitar mal-entendidos, o ditador ofereceu garantias de paz a todos os países que podiam desconfiar dos seus preparativos bélicos. Estendeu a mão, fraternalmente, à Polônia, à França, à Inglaterra e à Rússia.

Após a ocupação da Renânia, ordenou a construção de um sólido sistema de fortificações, denominado Linha Siegfried. Este sistema destinava-se a defender o território germânico de qualquer agressão do exército francês.

O Reich ia enveredando, sem hesitações, pelo caminho da economia de guerra. Basta dizer, por exemplo, que a produção e o consumo, sob todas as formas, passaram a sofrer uma estrita fiscalização do Estado.

O doutor Schacht, que chefiava o Ministério da Economia e o Banco do Reich, mostrou-se contrário à política financeira do Terceiro Reich e, por isto, foi substituído pelo doutor Funk, categorizado nazista.

Schacht tinha aconselhado o Führer a diminuir o ritmo vertiginoso da política de rearmamento.

Numa de suas visitas à Alemanha, onde sempre foi recebido de maneira apoteótica, Mussolini empregou, pela primeira vez, a expressão "Eixo Roma-Berlim".

Ambos os ditadores, tanto o italiano como o alemão, passaram a insistir na mesma tecla: o combate sistemático, sem tréguas, contra a democracia e o comunismo.

No mês de fevereiro de 1938, o chanceler Schuschnigg foi chamado a Berchtesgaden, residência de Hitler. Este lhe propôs a assinatura de um documento que consistia, na essência, em colocar a Áustria sob o domínio nazista. Schuschnigg, chefe do partido católico, negou-se a isto, é claro, mas não pôde deixar de concordar que Seyss-Inquart, líder dos nazistas austríacos, ocupasse o cargo de ministro do Interior.

Hitler e a Juventude Hitlerista

Regressando à Áustria, o chanceler Schuschnigg procurou organizar um plebiscito, para que os seus patrícios expressassem a sua opinião a respeito da anexação ao Terceiro Reich. Entretanto, a 12 de março de 1938, as tropas hitlerianas penetraram no território austríaco. Consumou-se, assim, a *Anschluss.*

Schuschnigg foi preso logo em seguida e enviado a um campo de concentração, onde morreu depois de ter sido submetido às mais ignominiosas humilhações.

Diga-se, contudo, a bem da verdade, que a população austríaca se pronunciou, através do plebiscito, por esmagadora maioria, a favor da incorporação à Alemanha.

Hitler começou a selecionar, com o maior cuidado possível, os seus mais diretos colaboradores.

Já dispunha do general Brauchitsch, que exerceu as funções de comandante-chefe do Exército Alemão, depois da reforma do Alto Comando. Contava com o marechal Keitel, chefe do Alto Comando da Wermarcht, com o general Jodl, chefe do Estado Maior da Wermarcht e seu conselheiro militar, e com o almirante Raeder, que se tornou o comandante-chefe da Marinha de Guerra germânica.

De modo quase geral, Hitler achava que os generais alemães eram incapazes e pusilânimes.

Na Inglaterra, o primeiro-ministro Neville Chamberlain desejou, desde que assumiu as suas funções, praticar uma política de contemporização, no que dizia respeito à Alemanha e à Itália.

Chamberlain sonhava em separar a Itália fascista do Reich, por intermédio de uma série de concessões. Reconheceu o "império" criado por Mussolini com a invasão da Abissínia e aceitou, sem tugir nem mugir, a anexação da Áustria ao Terceiro Reich.

A região dos montes Sudetos, na Tchecoslováquia, localizada entre a Boêmia e a Silésia, se estende, por duzentos quilômetros, dos Cárpatos ao Elba. Neste território habitavam mais de três milhões de alemães. No dia em que Hitler se tornou chefe incontestável, o movimento nacionalista dos sudetos alemães, dirigi-do por Konrad Henlein, cobrou maior impulso. Os sudetos, primeiro, reclamaram a sua autonomia.

Hitler apoiou as reivindicações formuladas por Henlein, e Chamberlain enviou a Praga, como mediador, lorde Runciman. O resultado não se fez esperar. Sentindo-se confiante, Hitler pediu, com firmeza, a entrega da zona dos Sudetos. De modo simultâneo, mobilizou a Reichswehr, ocupando posições que ameaçavam a Tchecoslováquia. Chamberlain, temendo a eclosão de um conflito entre este país e a Alemanha, foi por via aérea entrevistar-se com o Führer na sua residência de campo, em Berchtesgaden. Hitler, à vista disso, julgou que a Grã-Bretanha temia a guerra, ansiava pela paz. O ditador revelou ao ministro inglês o seu ultimato: se a Tchecoslováquia não cedesse todas as zonas fronteiriças, incluindo a Linha Maginot tcheca, a Alemanha seria obrigada a empregar a força.

A França e a Inglaterra aconselharam a Tchecoslováquia a concordar, satisfazer as exigências germânicas. Houve relutância por parte do governo tcheco, que se negou a submeter-se. Os governos francês e britânico voltaram à carga, demonstrando que se ela, a Tchecoslováquia, persistisse na sua atitude, tornar-se-ia a única responsável pela guerra. Assim sendo, a Inglaterra e a França jamais poderiam prestar-lhe ajuda. O governo tcheco capitulou. Chamberlain fez nova viagem, a fim de se encontrar com Hitler, desta vez em Godesberg. Brutalmente o Führer declarou-lhe que o plano anglo-francês tinha sido superado pelos acontecimentos.

Chamberlain, desiludido, voltou à Inglaterra.

Os habitantes de Londres, num ambiente de pânico, começaram a cavar trincheiras, para se protegerem de ataques aéreos, já que a guerra parecia iminente. Também a França fez preparativos militares. A Itália mobilizou o seu exército.

Hitler queria esmagar a Tchecoslováquia, pois amava o emprego da força bruta. Dando vazão ao seu ódio, aos instintos obscuros

Hitler sendo ovacionado no Reichstag, em março de 1938

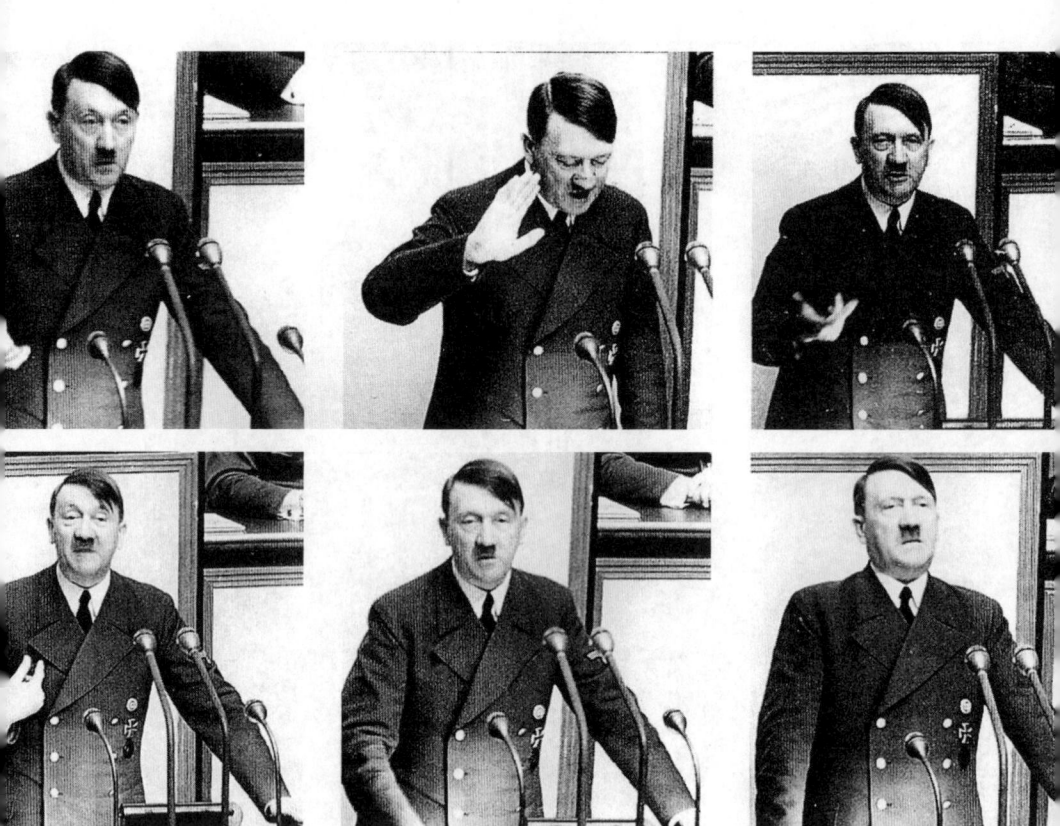

Hitler discursando

que dominavam a sua natureza, dirigia virulentos ataques ao presidente Benes, da Tchecoslováquia.

"Pois bem, eu só posso dizer uma coisa. Há dois homens preparados para se enfrentarem um ao outro: ali, *herr* Benes, e aqui, eu. Somos dois homens de diferente contextura. Durante a grande peleja dos povos, enquanto *herr* Benes fazia correr a sua carcaça, indo daqui para acolá, pelo mundo, eu, um honrado soldado alemão, cumpri o meu dever. E no dia de hoje enfrento esse homem na qualidade de soldado do meu povo. Com referência ao problema dos alemães sudetos, minha paciência chegou ao fim. Fiz a *herr* Benes um oferecimento que não era outra coisa que a execução do que ele mesmo havia prometido. Em suas mãos tem agora a decisão: paz ou guerra. Ou bem aceitará este oferecimento e dará aos alemães sudetos sua liberdade, ou nós próprios iremos conseguir essa liberdade. O mundo deve dar-se por inteirado de que em quatro anos e meio de guerra, e ao largo de todos os anos da minha vida política, existe pelo menos uma coisa que ninguém me lançou jamais na cara: nunca fui um covarde. E agora me apresento, diante do meu povo, como seu primeiro soldado, e — há aqui uma coisa que o mundo deve saber — detrás de mim marcha um povo muito diferente do de 1918. Estamos resolutos! E agora, que *herr* Benes escolha."

A arrogância de Hitler se acha bem visível nestas frases repletas de desprezo e orgulho desalmado.

Adolf sente-se, em tudo e por tudo, um homem superior a Benes. Fala como um senhor todo-poderoso, cuja reduzida paciência chegou ao seu fim. Vangloria-se de sua coragem, à semelhança de um cínico e atrevido fanfarrão. O ex-pintor progrediu muito. Em vez de arreganhar os dentes aos míseros companheiros dos asilos vienenses, solta urros de fera famulenta perante o mundo atônito.

O estadista tchecoslovaco foi atacado vilmente. Eduardo Benes não era nenhum vagabundo, como ele pintara. Era um homem inteligente, preparado. Possuía origem humilde, pois os seus pais haviam sido simples camponeses. Apesar disso, o jovem Benes tinha cursado a Universidade de Praga e, logo depois, a Sorbonne e a Escola de Ciências Políticas, de Paris. Graduado em leis pela Universidade de Dijon, também exerceu as funções de professor na Academia de Comércio de Praga. Em Paris foi periodista, conspirando com Masaryk e Stefanyk contra o imperialismo dos Habsburgos, inimigos da independência do seu país.

A acusação de Hitler de que Benes, na guerra de 1914-18, andava a correr de um lado para o outro, sem nada que o impelisse, era uma perfeita infâmia, pois o estadista tcheco batalhava ativamente pela sua terra, seja formando em Paris o Conselho Nacional Tcheco, sob a presidência de Masaryk, seja atuando como secretário no movimento pró-independência ou ajudando a constituir, na Sibéria, a Legião Tchecoslovaca de Ex-Prisioneiros da Áustria.

Enquanto ocupou a posição de primeiro-ministro, de setembro de 1921 a outubro de 1922, Benes orientou a política exterior da Tchecoslováquia num sentido favorável à França e à Inglaterra.

Adversário dos partidos da direita, sobretudo dos agrários, Eduardo Benes elegeu-se presidente da República em 18 de dezembro de 1935. Os comunistas, com os seus votos, o auxiliaram bastante. Isto o tornava suspeito, aos olhos dos nazistas, principalmente de Hitler, que sentia por ele uma aversão profunda.

O Führer tinha declarado que se não fossem aceitos os termos da proposta de Godesberg, antes das duas da tarde do dia 29 de setembro de 1938, a Alemanha se apossaria, pela força, do território dos Sudetos.

Influenciado por Mussolini, o ditador alemão sugeriu a conveniência de se celebrar uma conferência em Munique. No dia 29, reuniram-se nesta cidade Chamberlain, Daladier, Mussolini e Hitler. Assinaram estes homens o famoso Pacto de Munique, de acordo com o qual o território tcheco-eslovaco foi desmembrado, ficando parte dele dividido pelo Reich, pela Polônia e pela Hungria. A Tchecoslováquia permaneceria autônoma.

Chamberlain e Hitler subscreveram uma declaração conjunta, para afastar o espectro de um conflito entre a Alemanha e a Inglaterra.

Segundo o Pacto de Munique, a Alemanha adquiria o direito de ocupar gradualmente, a partir de 1º de outubro, setenta por cento da região dos Sudetos. Os outros territórios, de população mesclada, seriam submetidos a plebiscitos.

Benes, Stalin e Blum procuraram torpedear o acordo e, na Câmara Britânica, Chamberlain viu-se atacado pelo major Attlee, Churchill e Duff Cooper.

Mas, destoando do coro de vozes contrárias, John Masefield, poeta laureado, comparou o primeiro-ministro inglês a Príamo, por ter ido entender-se com o inimigo para pedir pelo filho. O filho era o robusto e amedrontado Império Britânico.

Ah, os poetas! Sempre sonhadores...

15

Nas vésperas da declaração de guerra

Joachim von Ribbentrop substituiu, em 1938, Von Neurath na pasta das Relações Exteriores do Terceiro Reich.

Ribbentrop tinha servido, durante toda a guerra mundial de 1914-18, o exército alemão. Chegara a obter o posto de tenente-coronel. Após o conflito, casou-se com a filha de um rico fabricante de champanha. Vivia na prosperidade, dedicando-se exclusivamente ao comércio de vinhos e licores. Ao ingressar no Partido Nacional-Socialista, graças às suas boas maneiras e ao seu conhecimento de línguas, ganhou a confiança de Hitler, que o nomeou conselheiro diplomático. Sectário de uma política mais audaz por parte da Alemanha, exerceu as funções de embaixador em Londres. Quando apresentou as suas credenciais no Palácio de Saint James, fez uma saudação nazista, que foi muito comentada. Na qualidade de ministro das Relações Exteriores desembarcou em 1938 na capital inglesa, em missão extraordinária, para dar garantias ao Foreign Office de que a incorporação da Áustria constituía uma simples medida preventiva contra a guerra civil.

A nomeação de Ribbentrop assinala o começo da política expansionista de Hitler.

Temas obrigatórios nos discursos do empertigado ministro eram a força da Alemanha, a certeza que o povo germânico podia depositar na vitória, a genialidade impressionante de Adolf Hitler.

"As relações entre Hitler e Ribbentrop foram sempre ótimas" — diz Alfieri, embaixador de Mussolini em Berlim.

E acrescenta:

"Ribbentrop conquistara desde o primeiro instante a simpatia que o seu chefe até o fim lhe conservou, malgrado os repetidos ataques que as intrigas palacianas preparavam contra o ministério. Na sincera admiração que Ribbentrop tinha por Hitler, entrava também uma grande parte de gratidão. Raramente os dois homens discutiam sobre política exterior. Aliás, nenhum deles tinha ideias claras e precisas sobre o assunto. O programa geral de Hitler era simplista: constituir na Europa Central um bloco oposto à Rússia. Para realizar esse programa, contava com os seus êxitos militares. Era, em suma, uma política exterior feita com a guerra e à qual Ribbentrop não trazia outra contribuição além da sua obediência cega e formalista à vontade de Hitler."

Um mês depois do Pacto de Munique, o Führer afirma que a cidade de Dantzig, importante porto do mar Báltico, é alemã, e que o corredor polonês entre a Prússia e a Prússia Oriental devia desaparecer.

A 11 de agosto de 1939, o ditador enviou Ribbentrop a Salzburgo, com a finalidade de prevenir o governo da Itália de que resolvera promover a guerra.

Ribbentrop informou a Ciano, representante italiano e genro de Mussolini, que não era Dantzig que Hitler desejava, e sim a guerra. O Duce[5], ao receber a declaração, ficou aterrorizado, pois a Itália estava ligada à Alemanha, desde maio, pelo Pacto de Aço, que preconizava, para ambos os países, a realização de uma política comum na Europa.

Na Tchecoslováquia o presidente Benes se demitiu e ausentou-se do país. O poder caiu nas mãos de Beran, líder dos agrários reacionários, que há muito tempo conspirava com a Alemanha. Apoiada por esta, a Eslováquia proclamou a sua independência. Hitler declarou, então, que a desordem imperante na Tchecoslováquia constituía um verdadeiro perigo para o Terceiro Reich. As tropas germânicas entraram no país e a República foi abolida, criando-se, em seu lugar, o Protetorado Autônomo da Boêmia e da Morávia, que passou a ter o barão Von Neurath como governador.

Liquidado o caso tchecoslovaco, Hitler voltou-se para a questão de Dantzig.

A industrial cidade de Dantzig, situada perto da desembocadura do Vístula, célebre pelas suas fortificações e numerosos estabelecimentos científicos, floresceu desde o ano 997. Fundada por eslavos, esteve em 1295 sob o domínio polonês. Mas em 1308, o rei Vladislau I teve de cedê-la à Ordem dos Cavaleiros Teutônicos, os quais massacraram a população eslava. Os alemães se estabeleceram na cidade. Todavia, no século seguinte, os poloneses a reconquistaram. A Prússia, três séculos depois, se apoderou da bela metrópole de casas góticas, porém, em 1807, chegaria a vez dos franceses, comandados pelo marechal Lefebvre. Pela paz de Tilsit, o porto de Dantzig foi declarado cidade livre, debaixo da proteção da Prússia e do Saxe.

Após a Primeira Guerra Mundial, o Tratado de Versalhes reconheceu Dantzig como cidade livre, colocando-a sob a soberania da Polônia. Noventa e sete por cento dos seus habitantes eram alemães.

---

[5] Título pelo qual Mussolini era tratado, e que significa o mesmo que *führer*, "líder".

Encontro de Hitler e
Mussolini em Veneza, 1934

Para unir a Polônia com Dantzig criou-se, em 1919, o chamado "corredor polonês", uma estreita faixa de terra que separava a Prússia Oriental do resto do território alemão. Os germânicos não se conformaram com este corte do Reich em dois pedaços, alegando que em 1918 o corredor se achava habitado por alemães. A Polônia, entretanto, não queria ceder, dizendo que por vários séculos Dantzig pertenceu aos polacos. Além do mais, precisava de uma saída para o mar.

Em maio de 1939, o Führer pediu a devolução de Dantzig e a construção de um caminho extraterritorial através do corredor.

Dantzig não era o objetivo principal de Hitler, conforme ele mesmo confessara aos seus oficiais. Ambicionava, isto sim, dilatar o espaço vital do Reich para o Leste, sonho acalentado desde o início da sua carreira. Seu plano consistia em isolar a Polônia. Tudo dependeria dessa operação, mas precisava evitar, por outro lado, um conflito simultâneo com as potências ocidentais.

Se não fosse seguro que um conflito germano-polaco levaria o Reich à guerra com o Oeste, a luta teria de ser, primordialmente, contra a Inglaterra e a França.

No encontro que Ciano manteve com Ribbentrop, em Salzburgo, o genro de Mussolini procurou convencer o ministro alemão que Hitler devia evitar a guerra com a Polônia, pois seria impossível limitar o conflito. O Duce assim acreditava, julgando que uma guerra geral se tornaria desastrosa para o Eixo.

Ribbentrop, sem atender a nenhum argumento, assegurou, dogmático, que o choque não se generalizaria, e que, embora a França e a Inglaterra desejassem intervir, se veriam impossibilitadas de causar o mínimo dano à Alemanha ou ao Eixo.

— Existe a convicção inabalável de que o conflito terminará com a vitória das potências totalitárias — afiançou, irredutível, o desdenhoso ministro do Terceiro Reich.

Surpreendendo o mundo inteiro, Chamberlain, o representante máximo da política de apaziguamento, declarou, no começo de maio, que a Inglaterra estava decidida a garantir a integridade territorial da Polônia, se esta fosse atacada pelos alemães.

Quando Karl Burckhardt, comissário da Sociedade de Nações, visitou Hitler, este lhe disse:

— Se os poloneses fizerem a menor coisa, cairei sobre eles como um raio, com todas as armas poderosas que tenho à minha disposição e das quais não possuem a menor ideia.

— Mas esta medida conduzirá a um conflito geral — observou Burckhardt.

— Se tenho que promover a guerra — respondeu o ditador —, prefiro que seja hoje e não amanhã. Não levarei o conflito à maneira de Guilherme II, que sempre teve escrúpulos em utilizar o emprego total de todas as armas. Lutarei sem piedade até o último limite.

Hitler já estava decidido a atacar a Polônia, mas resolveu firmar, com a Rússia, um pacto de não agressão.

O Führer telegrafou a Stalin, pedindo-lhe para receber Ribbentrop em Moscou. Stalin acedeu, dizendo que o pacto germano-soviético de não-agressão iria marcar uma mudança decisiva no melhoramento das relações políticas entre a Rússia e a Alemanha.

Ribbentrop chegou a Moscou no dia 23 de agosto, sendo recebido, ao descer do avião, por Potemkin, representante do governo soviético. Logo, sem perda de tempo, rumou para o Kremlin, onde se encontrou com Stalin e Molotov.

O acordo foi assinado. Rezava que os governos de ambos os países, guiados pelo desejo de consolidar a paz, se comprometiam a abster-se, entre si, de todo ato de violência, de toda ação agressiva, tanto isoladamente como em união com outras potências. Se uma das partes contratantes fosse vítima de ação bélica movida por alguma potência, a outra parte não prestaria ajuda, de nenhuma forma, a esta terceira potência.

Tal acordo deveria vigorar por dez anos, podendo, contudo, ser prolongado. Juntou-se, porém, a ele, um protocolo secreto, mediante o qual a Alemanha e a Rússia concordavam em dividir o Leste Europeu em esferas de influência. A Finlândia, a Letônia e a Estônia estariam sob a esfera soviética; a Lituânia e Vilna ficariam ao alcance do poderio germânico. Quanto à Polônia, sofreria um retalhamento, limitado pela linha dos rios Vístula, Narev e San. Na última cláusula a União Soviética manifestava o seu "carinhoso" e especial interesse pela Bessarábia, região da Europa Oriental que era província romena e pertencia à Ucrânia e à Moldávia.

A Rússia, para firmar esse pacto, deixara de lado as negociações que vinha entabulando com a Grã-Bretanha e a França, a fim de chegar a uma tríplice aliança, capaz de fazer frente à política imperialista do Terceiro Reich.

Robert Coulondre, embaixador da França em Berlim, já tinha anunciado ao seu governo, com grande antecipação, as negociações entre a Alemanha e a União Soviética.

No momento em que Ribbentrop saía do Kremlin, o desconfiado e esperto Stalin pegou-lhe o braço e disse, num tom firme:

— O governo soviético leva o nosso pacto muito a sério. Estou disposto a garantir, com a minha palavra de honra, que a União Soviética não atraiçoará o seu associado.

A assinatura do pacto de não agressão germano-soviético representava, paradoxalmente, a negação de toda a carreira e de toda a doutrinação de Adolf Hitler.

O prenúncio da guerra, a invasão da Polônia, já pairava no ar.

Houve esforços, diligências em prol da paz, feitas pelos reis da Bélgica e da Holanda, pelo papa e pelo presidente dos Estados Unidos.

Hitler reuniu os seus generais e comandantes em Obersalzberg e lhes declarou que, desde última primavera, tinha resolvido atacar a Polônia. De início, tivera receio que as injunções políticas o

Assinatura do acordo germano-soviético, em Moscou, a 23 de agosto de 1939. Sentado à mesa está Molotov, o embaixador russo; atrás dele estão, à esquerda, Ribbentrop, e à direita, Josef Stalin

obrigassem a lutar, de modo simultâneo, contra a Inglaterra, a Rússia e a Polônia.

— Nossa força consiste em nossa velocidade e em nossa brutalidade — disse o Führer. — Gêngis Khan massacrou milhares de mulheres e crianças, premeditadamente e sem remorsos. Nele, a História vê unicamente o fundador de uma nação. Para mim é completamente indiferente o que a Europa Ocidental, civilizada e decadente, possa dizer a meu respeito.

Frisou, ainda, que em última análise, só havia três grandes estadistas no mundo: Stalin, ele e Mussolini. Este era o menos capaz de todos, porque não conseguiu libertar-se nem da Coroa, nem da Igreja.

— Eu e Stalin somos os únicos que encaramos o futuro e exclusivamente o futuro.

Explicou, depois, que os seus objetivos não consistiam apenas em conquistar certos pontos, mas visavam também a destruição física do inimigo. Por isto colocara de prontidão as tropas de assalto. Elas tinham ordens de matar, sem compaixão, homens, mulheres e crianças de raça polonesa. Este era o único meio dos alemães obterem espaço vital.

Matar, segundo o supremo chefe do povo germânico, se afigurava coisa de somenos importância.

Após a morte de Stalin, que era um homem muito doente, o Terceiro Reich, disse Hitler, destruiria a União Soviética.

Quanto às pequenas nações, estas não o assustavam. Depois da morte de Kemal, "a Turquia vinha sendo governada por cretinos e semi-idiotas". Carol, da Romênia, "estava corrompido e escravizado pelos seus desregramentos sexuais". O rei da Bélgica e os soberanos nórdicos eram meros fantoches, "que dependiam da boa digestão dos seus povos fartos e esgotados". O imperador do Japão, "cópia do último czar", demonstrava ser um sujeito "fraco, covarde e indeciso". Uma revolução poderia derrubá-lo de um momento para o outro.

Só duas possibilidades de luta contra a Alemanha tinha o Ocidente, dizia o Führer: o bloqueio, que seria ineficaz, devido aos recursos germânicos, às fontes de ajuda no Leste, e um ataque a Oeste, a partir da Linha Maginot. Mas esta segunda possibilidade, ele, Hitler, considerava impraticável, absurda.

— Aconteça o que acontecer — asseverou o ditador aos seus generais — precisamos continuar provocando agitações no Extremo Oriente e na Arábia. Reforcemos a nossa mentalidade de senhores da Criação e olhemos esses povos como uma sub-humanidade que nos implora a graça de açoitá-los.

E Hitler acrescentou:

— A oportunidade nos é mais do que favorável. Meu único receio é que Chamberlain ou qualquer outro desses cães venha à última hora com propostas e apaziguamentos. Se vierem, atiro-os escada abaixo, mesmo que tenha de meter-lhes o pé diante dos fotógrafos.

Não, é muito tarde para isso. Sábado de manhã começará o ataque e a liquidação dos poloneses. Mandarei duas companhias, vestidas de uniformes poloneses, provocarem distúrbios na Alta Silésia ou no Protetorado. Para mim tanto faz que o mundo creia ou não em mim. O mundo, na realidade, só acredita numa coisa: no bom êxito.

Após soltar todo este palavrório, Hitler concluiu:

— Senhores, tal como há muitos séculos não se dá, para nós é uma questão de honra e de glória atirar-nos à luta. Sejam duros! Sejam sem compaixão! Ajam mais rápida e brutalmente que os outros! As populações da Europa Ocidental devem tremer de pavor. Este é o mais humano dos métodos para conduzir a guerra, pois o medo vai impedi-las de lutar.

O novo método de conduzir a guerra correspondia, segundo Hitler, a um novo traçado de fronteiras. As tropas alemãs fariam um avanço contínuo em direção a Reval, Lublin e Kosice, na embocadura do Danúbio. O resto ele cederia aos russos. No que dizia respeito ao

Ocidente, o chefe nazista reservava a si mesmo o direito de fixar a mais estratégica das fronteiras. Transformaria a Holanda, a Bélgica e a Lorena Francesa em simples e submissos protetorados.

Depois de expor aos generais os seus planos, o ditador disse que se encontrariam em Varsóvia, para festejarem a vitória. Goering, arrebatado pelo entusiasmo, subiu com o seu corpanzil em cima duma mesa e agradeceu aquelas promessas de glória. De sua parte ele cumpriria, fielmente, as ordens que o Führer havia dado.

No dia 31 de agosto, Ribbentrop entregou a Neville Henderson, último embaixador da Inglaterra em Berlim, antes da eclosão da Segunda Guerra Mundial, dezesseis quesitos de Hitler para a acomodação do caso polonês. Estes quesitos se referiam ao retorno de Dantzig ao Terceiro Reich, sendo que um plebiscito, sob controle internacional, decidiria, dentro de doze meses, o destino do corredor polonês. Entretanto, só os que habitassem a região antes de 1º de janeiro de 1918 poderiam ir às urnas. Na hipótese de que o corredor caísse em poder da Polônia, a Alemanha ficaria, porém, com um corredor através da Prússia Oriental. Se o resultado do plebiscito fosse favorável aos alemães, haveria imediata troca de populações.

Numa entrevista com Henderson, o Führer ofereceu à Grã--Bretanha a garantia de lhe respeitar o Império, além de uma firme ajuda germânica, em quaisquer circunstâncias.

— Aceitarei uma limitação razoável dos armamentos — disse ao diplomata. — E também considerarei como definitivas as fronteiras ocidentais da Alemanha. Por natureza sou um artista e não um político. Uma vez liquidada a questão polonesa, desejo terminar a minha vida como artista e não como causador de guerras. Nunca pensei em converter a Alemanha num quartel. Resolvido o problema polaco, ficarei satisfeito...

Com esta conversa, Hitler queria que a Inglaterra voltasse as costas à Polônia, abandonando-a à sua própria sorte. Desejava ter os movimentos livres para massacrar a heroica pátria de Tadeu Kosciuszko.

Hitler toca a Sinfonia da Guerra para
Mussolini e o rei da Itália, Vítor Emanuel III

A proximidade da guerra é retratada por Belmonte nestas caricaturas
de 1938, 1939 e 1940, feitas para o jornal *Folha de S. Paulo*

Himmler e Hitler passando em revista as tropas da SS

Poucos dias antes, o sueco Birger Dahlerus, homem de negócios e diplomata amador, tinha sido enviado por Hitler à capital britânica, para ver se conseguia algum acordo. Tudo que obtivera fora uma carta do lorde Halifax, dirigida a Goering, na qual o ministro inglês expressava os seus anseios de paz e a esperança de entrar em bons entendimentos com a Alemanha.

Goering foi em companhia de Dahlerus ao edifício da Chancelaria. Era meia-noite e Hitler já estava deitado. Mesmo assim o obeso Goering mandou despertá-lo. O Führer apareceu, ao cabo de certo tempo, e durante uns vinte minutos discorreu sobre a política alemã. No meio da conversa, censurou a conduta britânica.

Em seguida, informa Dahlerus na sua obra *Sista försöket* [Última tentativa], o ditador pediu ao seu enviado esclarecimentos a respeito dos anos que ele havia passado na Grã-Bretanha. Entreteve-se, nessa palestra, por cerca de meia hora. Depois, repentinamente, desviou a conversa para a crise polonesa. Enquanto falava, ia excitando-se cada vez mais. Percorria, inquieto, o salão, e vangloriava-se da potência bélica que tinha criado, a maior de toda a história germânica.

Depois de muitas bazófias, silenciou... Dahlerus lhe disse qualquer coisa e Hitler prestou-lhe atenção, mas, de súbito, o ditador se pôs de pé, bastante nervoso. Caminhava de um lado para o outro, repetindo:

— A Alemanha é irresistível... A Alemanha é irresistível...

De repente Hitler se deteve, no meio do salão, e permaneceu com o olhar estranhamente fixo. Tinha a voz rouca e a aparência de uma pessoa anormal.

— Se houver guerra — disse de maneira rude, com palavras cortantes —, construirei submarinos, construirei submarinos, submarinos, submarinos.

Sua voz, à medida que ia repetindo as palavras, foi ficando cada vez mais pastosa. Até que se tornou impossível compreender o que ele dizia. Mas logo, como se uma força maligna, inesperada, tivesse tomado o seu espírito, ergueu a voz e vociferou:

— Construirei aeroplanos, construirei aeroplanos, aeroplanos, aeroplanos, e aniquilarei os meus inimigos!

Hitler, esclarece Dahlerus, "mais parecia um fantasma de novela que uma pessoa de carne e osso".

Dahlerus ficou a olhá-lo, atônito. Voltou-se então para Goering, a fim de ver a reação deste. O *Reichsmarschall* estava impassível, sem mover um músculo.

Transcorridos ligeiros minutos, Hitler aproximou-se de Dahlerus e perguntou-lhe:

— *Herr* Dahlerus, você que conhece a Inglaterra tão bem, poderia explicar-me a razão dos meus constantes fracassos em chegar a um entendimento com ela?

Dahlerus, um pouco receoso, disse que o povo inglês não depositava confiança em Hitler, pessoalmente. Também encarava o regime nazista pelo mesmo prisma.

O Führer estendeu o seu braço direito e, golpeando o peito com a mão esquerda, bufou:

— Imbecis! Eu já disse uma só mentira em minha vida?

* * *

Numa carta dirigida a Chamberlain, datada de 23 de agosto, Hitler acentuou que a Alemanha nunca tinha promovido conflitos com a Inglaterra e nunca, muito menos, se intrometera nos interesses ingleses. Havia, pelo contrário, durante anos, esforçado-se por conseguir a amizade britânica. Em razão disto, realizou voluntariamente limitações nos seus próprios interesses, numa grande parte da Europa.

Sublinhava, na mesma missiva, que as garantias gerais dadas pela Inglaterra à Polônia, de apoio em todas as circunstâncias, fossem quais fossem os motivos dos quais resultaria um conflito, só puderam ser interpretadas, na terra polonesa, como encorajamento para iniciar uma onda horrível de terrorismo contra um milhão e meio da população germânica que vivia na Polônia.

A Coulondre, finório embaixador gaulês, Hitler declarou que não sentia nenhuma hostilidade para com a França, pois já havia dado provas disto, ao renunciar, pessoalmente, à Alsácia-Lorena. E também reconhecera a fronteira franco-alemã. Assim sendo, a possibilidade de combater a França, devido à Polônia, lhe parecia muito penosa. Mas as provocações polacas, infelizmente, tinham criado ao Terceiro Reich uma situação que não podia, de forma alguma, prolongar-se.

Há muitos meses, ele, Adolf Hitler, vinha fazendo propostas extremamente razoáveis à Polônia, pedindo para retornar, à soberania do Reich, Dantzig e a estreita faixa de terra que ligava esta cidade à Prússia Oriental. Entretanto, salientou o Führer a Coulondre, a garantia oferecida pelo governo britânico suscitara a intransigência polaca. O governo de Varsóvia teve o desplante de repelir as suas propostas, infligindo, ainda por cima, o pior tratamento às minorias alemãs.

Coulondre ouvia o ditador com toda atenção.

— Eu tinha a princípio — esclareceu Adolf — prescrito à imprensa do Reich que não publicasse nada sobre as sevícias suportadas pelos alemães na Polônia. Mas a situação excede atualmente tudo o que se pode tolerar. Sabe que há casos de castração? Que nos nossos campos de acolhimento existem mais de setenta mil refugiados? Sete alemães foram ainda ontem mortos pela polícia polaca, em Bielitz, e trinta reservistas alemães foram metralhados em Lodz. Os nossos aviões já não podem, sem ser canhoneados, voar entre a Alemanha e a Prússia Oriental. Os seus itinerários tiveram de ser modificados, mas agora são atacados quando voam acima do mar. Assim, o avião que transportava Stuckart, o secretário de Estado, sofreu o fogo de vários polacos. Eis um fato novo que eu pude assinalar esta manhã a *sir* Neville Henderson.

De acordo com estas informações de Hitler, a Alemanha é que estava sendo humilhada, ferida. O embaixador francês, segundo ele, devia crer nesse fato.

— Não há um país digno deste nome — ponderou o ditador — que possa suportar semelhantes afrontas. A França não as toleraria mais do que a Alemanha. Estas coisas duraram já bastante e eu responderei com a força a novas provocações. Insisto ainda em dizer-lhe: desejo evitar um conflito com o seu país. Não atacarei a França, mas se ela entrar no conflito, irei até o fim. Como sabe, acabo de concluir com Moscou um acordo que não é apenas teórico, mas, direi, positivo. Penso que vencerei, a França pensa que vencerá. O que é certo é que correrão principalmente o sangue alemão e o sangue francês, o sangue de dois povos igualmente corajosos. De novo lhe digo: é-me muito doloroso pensar que nós podemos chegar a este fato. Peço-lhe que diga isto, em meu nome, ao presidente Daladier.

O espetáculo de hipocrisia, desempenhado por Hitler, estava findo. O Führer levantou-se para se despedir.

Coulondre, rápido, respondeu que se considerava obrigado a fornecer-lhe, num momento tão grave, a sua palavra de soldado de que, se a Polônia fosse atacada, a França se poria com as suas forças ao seu lado.

Daladier, por sua vez, enviou em 26 de agosto uma carta a Hitler, dizendo que os problemas existentes entre a Alemanha e a Polônia podiam ser resolvidos pelo método de negociações livres. Assim se obteria uma solução pacífica e justa. E declarava, no fim da carta:

"Vossa excelência foi, como eu mesmo, antigo combatente na última guerra. Sabe, como eu, que horror e condenação deixam atrás de si na consciência dos povos as devastações da guerra, independentemente da forma como ela acaba. A ideia que eu possa fazer da alta missão de vossa excelência como Führer do povo alemão no caminho da paz e da conclusão da sua tarefa, no sentido da obra comum da Civilização, leva-me a pedir uma réplica a esta proposta."

Hitler respondeu, confessando que não via nenhum meio de levar a Polônia a uma solução pacífica, pois este país, ao abrigo de suas garantias, julgava-se inatacável. Ele pedia a Daladier para compreender que era impossível, a uma nação dotada de honra, renunciar a quase dois milhões dos seus filhos e tolerar que estes fossem maltratados dentro da sua própria fronteira. Precisava ser resolvida, com urgência, a situação dúbia da fronteira oriental alemã. Dantzig e o corredor polonês tinham de voltar, quanto antes, ao poderoso Terceiro Reich.

"Eu duvidaria, porém — disse Adolf —, de um futuro honroso do meu povo, se nós, em tais circunstâncias, não estivéssemos decididos a resolver o problema de uma forma ou de outra. Se por esta razão o destino forçar ambos os nossos povos a lutarem de novo, haverá então uma diferença de motivos. Eu, senhor Daladier, luto então com o meu povo pela reparação de uma injustiça que nos foi feita, e os outros pela manutenção da mesma. Isto é tanto mais trágico porque muitos dos homens mais importantes, também do seu próprio povo, reconheceram a insensatez da solução de 1919, bem como a impossibilidade da sua manutenção duradoura. Não tenho quaisquer dúvidas sobre as pesadas consequências que um tal conflito traz consigo. Creio, contudo, que as mais pesadas consequências terá a Polônia de as suportar, porquanto, independentemente do resultado da guerra, o Estado polaco de hoje ficaria perdido de uma forma ou de outra."

Daladier, pelo teor dessa carta, não teve mais dúvidas a respeito da iminência do conflito. Por isto reuniu o general Gamelin e o almirante Darlan, chefes do Exército e da Armada, além de Bonnet, ministro das Relações Exteriores, e do general Weygand.

A Alemanha suspendeu as comunicações ferroviárias com a França, e a Holanda mobilizou o seu exército.

A esquadra inglesa estava preparada, aguardando ordens.

Na Polônia apareceram cartazes anunciando a mobilização.

Desde o dia 25 de agosto de 1939, o exército e a força aérea do Terceiro Reich estavam de prontidão, à espera da ofensiva.

A rádio emissora de Varsóvia dizia não haver palavras que pudessem encobrir os planos de agressão dos "novos hunos". Hitler ambicionava dominar a Europa e passar por cima dos direitos dos povos, ostentando um cinismo até então nunca visto.

16

A guerra relâmpago: invasão da Polônia, Escandinávia, Bélgica, Holanda e França

AInglaterra ainda fez mais alguns esforços. Tentou empregar os seus bons ofícios no sentido de que fosse mandado a Berlim um emissário polonês com plenos poderes. Mas Ribbentrop contornou a situação.

O pacto russo já estava ratificado e Hitler podia lançar-se na aventura.

Inutilmente o embaixador polonês, a 31 de agosto de 1939, tinha procurado entrar em contato com Varsóvia. As comunicações já haviam sido cortadas pelo governo alemão.

Ribbentrop dera apenas aos poloneses uma oportunidade nominal para negociarem. Entretanto, não lhes concedera o tempo necessário. Acrescente-se que a Polônia só tinha duas alternativas: aceitar de maneira total as condições oferecidas ou recusá-las por completo.

Às 05h45, em 1º de setembro de 1939, os alemães entraram na Polônia, sem prévia declaração de guerra. E, às dez horas e meia da manhã do mesmo dia, Hitler compareceu ao Reichstag e pronunciou um discurso. Disse que Dantzig sempre fora uma cidade alemã, que o Corredor era alemão. Afiançou que os germânicos desses lugares foram maltratados da maneira mais cruel. Ele tentara, pelo caminho pacífico das propostas de revisão, modificar esse "insuportável" estado de coisas. Nunca, porém, quis impor todas as revisões sob pressão. As propostas que fizera haviam sido rejeitadas, uma por uma. O Tratado de Versalhes, para os alemães, jamais poderia ser considerado lei. E argumentava:

"Não se admite que alguém, com a pistola apontada e ameaçando matar pela fome milhões de pessoas, consiga extorquir uma assinatura, e depois proclamar como lei solene o documento, munido dessa assinatura."

A Polônia, adiantou, não estava disposta a resolver a questão do Corredor duma forma equitativa e que satisfizesse justamente os interesses de ambas as partes. Disse que nunca deixara de oferecer à Inglaterra franca amizade e, se fosse necessário, a mais íntima cooperação. Mas o amor não pode ser só oferecido. Tem que ser correspondido...

Acrescentou que se sentia feliz em comunicar aos senhores deputados, da tribuna do Reichstag, um acontecimento muito especial, o acordo estabelecido com a União Soviética:

"Os senhores sabem que a Rússia e a Alemanha são regidas por duas doutrinas diferentes. Só havia uma questão que tinha de ser resolvida: a Alemanha não tem intenção de exportar a sua doutrina, e desde o momento em que a Rússia Soviética não pensa em exportar a sua para a Alemanha, não vejo motivo algum para assumirmos posições antagônicas. Ambos estamos conformes em que toda a luta dos nossos povos, um contra o outro, só daria lucros a terceiros. Por isso resolvemos firmar um pacto que exclui entre nós, para todo o futuro, qualquer emprego de força, um pacto que nos obriga à consulta mútua em certas questões europeias, um pacto que permite colaboração econômica e que, sobretudo, garante que as forças destes dois grandes Estados não se consumirão em lutas uma contra a outra."

Tendo anunciado este fato, advertiu que toda tentativa da Europa Ocidental para mudar tal ponto estava destinada ao fracasso. E queria ainda assegurar que esta decisão política significava uma enorme mudança em relação ao futuro. Além do mais, era definitiva...

Não haveria de repetir-se, protestou, um conflito entre a Rússia e a Alemanha, conforme acontecera na Guerra Mundial de 1914-18.

Em seguida, após tanto farisaísmo, Hitler exibiu aos parlamentares as suas costumeiras bravatas. Cada bomba lançada pelo inimigo seria paga com outra bomba. Quem combatesse com gases tóxicos seria combatido, também, com gases tóxicos. Manteria a luta fosse onde fosse, até que a segurança do Reich e os seus direitos estivessem garantidos.

A Força Armada Alemã era a mais bem apetrechada do mundo e a sua confiança nela se mostrava inabalável. Ele se achava disposto, como outrora, a fazer qualquer sacrifício pessoal. Não haveria para os alemães privações a que ele mesmo, o Führer, não se sujeitasse imediatamente.

Apenas uma ambição reivindicava para si: ser o primeiro soldado do Reich. Por isso vestira de novo a farda. Só a despiria após a vitória.

Se na luta lhe acontecesse alguma desgraça, o seu primeiro sucessor seria Goering. Mas se alguma adversidade caísse sobre Goering, o sucessor deste seria Rudolf Hess. Sucedendo, porém, algum infortúnio a Hess, convocar-se-ia, por lei, o Senado, o qual escolheria, entre todos, o mais digno.

O "mais digno", no parecer de Hitler, seria o "mais heroico".

Adolf finalizou a sua oração afirmando que um "Novembro de 1918" nunca mais se repetiria na história alemã. Os traidores da pátria, que se opusessem direta ou indiretamente às solicitações

Com o famoso passo de ganso, tropas alemãs marcham sobre Varsóvia, durante a invasão da Polônia, em setembro de 1939

do Reich, seriam eliminados. Ninguém poderia disseminar ideias derrotistas. As mulheres alemãs deviam agrupar-se em disciplina férrea, e a mocidade, com o "coração radiante", precisava cumprir o seu dever, exigido pelo Estado Nacional-Socialista.

Durante todo o discurso, Hitler não pronunciou, uma vez se- quer, o nome de Deus. Nem fez a menor alusão, ainda que bastan- te velada, à Providência Divina.

Convém salientar, mesmo ao leitor incrédulo, que ele ia jogar com o destino de um povo cristão, amante da música litúrgica de Bach e dessas soberbas preces de pedra que são as catedrais góticas.

Logo o gauleiter[6] Albert Forster proclamou o regresso de Dant- zig ao Reich.

No discurso que havia pronunciado na Câmara dos Comuns, Chamberlain afirmara que a responsabilidade da guerra cabia a um único homem: o ditador nazista, que mergulhou o mundo na miséria, a fim de servir à sua ambição insensata.

Herriot, na Câmara Francesa dos Deputados, disse, sob aplausos, que o mesmo homem que fizera desaparecer a Áustria, que martiri- zara os tchecos, povoando o mundo inteiro de exilados, tinha recor- rido mais uma vez à força, numa mistura de brutalidade e velhacaria.

Os poloneses apenas podiam colocar em pé de guerra o número ínfimo de trinta divisões de infantaria, sendo que dez divisões in- cluíam trinta e oito companhias de tanques e setenta e sete aviões.

A superioridade dos alemães era esmagadora. Basta dizer que, para o ataque à Polônia, o Alto Comando da Wermacht concentrou junto à fronteira deste país o número de setenta e três divisões, das quais qua- torze eram blindadas, as famosas *Panzer divizionen*. Quatro frotas aére- as, de três mil aviões, apoiavam a operação direta. Centenas de tanques e veículos motorizados avançaram, espalhando morte e desolação.

---

[6] Durante a Segunda Guerra Mundial, chefe ou líder oficial de um dis- trito político sob controle nazista.

Hitler mandou à Polônia os seus melhores soldados, como Brauchitsch, comandante-chefe; Halder, chefe do Estado-Maior; e Küchler, chefe do 3º Exército.

A Luftwaffe, bombardeando as estradas de ferro polonesas, desorganizou completamente os transportes e as comunicações do país atacado.

A Inglaterra e a França entraram em guerra com o Reich a 3 de setembro.

A aviação germânica destruiu, nas bases aéreas, a quase totalidade da força aérea polonesa. Também causou grandes danos aos centros militares.

Os alemães, partindo da Pomerânia, cortaram em pouco tempo o Corredor. Investiram, desde a Prússia Oriental, em direção a Varsóvia.

A resistência dos poloneses apenas se fixou em torno de Gdynia e da península de Hela.

No sul, os alemães rumaram para o distrito industrial da Silésia e capturaram Cracóvia.

As tropas polonesas retrocediam, acossadas pelos movimentos de pinça das forças alemãs mecanizadas. Os ataques de flanco precipitaram a convergência destas últimas sobre a região de Varsóvia, que se viu cercada no dia 16. Mas, para piorar a situação, a União Soviética empreendeu uma investida no leste, arrojando trinta divisões ao campo de luta.

Que declarou a Rússia, com o intento de justificar a covarde agressão? Disse, com o maior cinismo, que segundo o seu ponto de vista, o Estado Polaco havia cessado de existir e que, portanto, o pacto de não-agressão de 1932 perdera a sua valia. Por tal motivo a União Soviética achava necessário intervir, pois os seus irmãos de sangue, residentes na Polônia, se encontravam desprotegidos...

Varsóvia, porém, não queria entregar-se. Os alemães lançaram contínuos e arrasadores ataques aéreos. A cidade foi bombardeada sem cessar com artilharia pesada. Milhares e milhares de velhos, mulheres e crianças pereceram sob os escombros. E Hitler, no seu discurso pronunciado a 1º de setembro, no Reichstag, tivera o cinismo de garantir:

"Quero nesta luta proceder às necessárias ações de maneira tal que não contradigam o que eu, aqui no Reichstag, senhores deputados, tornei público como proposta ao restante do mundo. Isto é, não quero combater contra mulheres e crianças! Dei ordens à minha força aérea de atacar exclusivamente objetivos militares."

Com a destruição das instalações de água, Varsóvia foi tomada pelos incêndios que as bombas provocavam. No dia 26 houve cento e trinta e sete colossais incêndios, que destruíram enorme parte da capital.

Mas Varsóvia se rendeu e os alemães penetraram na cidade, fazendo 150 mil prisioneiros.

Quando cessaram as hostilidades, a infeliz e sempre martirizada Polônia foi repartida de novo. Os germânicos ficaram com a metade ocidental e os russos com a banda oriental. Dantzig, o Corredor, a Alta-Silésia, e mais alguns territórios da fronteira, couberam ao Reich.

Hitler efetuou uma entrada triunfal em Dantzig e, num discurso, sugeriu um apelo de paz aos Aliados, sob o fundamento de que o objetivo básico da guerra havia desaparecido. E designou, como governador geral da Polônia, o advogado Hans Frank.

— Estou convencido — disse o ditador a este velho companheiro — do mesmo modo que Napoleão, que a guerra constitui a luta mais rude pela existência. O odor de sangue reanima no homem os seus instintos primitivos. Todo o resto é apenas conversa. Só existem guerras humanitárias nos cérebros anêmicos.

A 6 de outubro, num discurso pronunciado no Reichstag, Hitler ofereceu uma paz baseada em conquistas, isto é, um ajuste fundado nas conquistas alemãs já existentes.

Chamberlain e Daladier rejeitaram estas bases de paz. O primeiro disse que as propostas hitlerianas eram vagas e incertas. Não continham sugestão alguma para reparar os erros cometidos em relação à Tchecoslováquia e à Polônia.

Todos os anos, no dia 8 de novembro, Hitler comparecia à Bürgerbräukeller de Munique, para comemorar o aniversário do *putsch* de 1923. Também, naquele primeiro ano de guerra, ele foi à cervejaria, mas, contrariando o seu costume, retirou-se logo. Assim que saiu, uma bomba rebentou no lugar onde havia falado. Mais de sessenta pessoas ficaram feridas e sete morreram. A Gestapo prendeu um sujeito chamado Georg Elser, que confessou ter preparado o atentado por ódio político. Encerraram Elser num campo de concentração e lá o liquidaram, discretamente. Hitler, desde então, passou a viajar num carro blindado, à prova de balas.

Depois desse incidente, a Finlândia e a União Soviética tinham suspendido as negociações que estavam realizando. A Rússia desejava uma base naval na entrada de Hangoe, a cessão de um território no istmo de Carélia, algumas ilhas do golfo e um ajuste da fronteira na região de Petsamo.

Decorridos poucos dias, o governo soviético acusou as tropas finlandesas de terem provocado tiroteios na fronteira. No dia 30 de novembro, após denunciar o tratado de não-agressão com a Finlândia, a União Soviética iniciou as hostilidades contra este país.

Hitler ficou preocupado. As ambições russas significavam perigo à vista. Uma de suas primeiras medidas de prevenção, antes do caso da Finlândia, foi o Conselho Ministerial para a Defesa do Reich, que ele criara por decreto, a 30 de agosto, nos pródromos da guerra. Este Conselho era dirigido por Goering. Rudolf Hess ocupava o segundo posto. Os outros membros eram Heinrich Lammers, chefe da chancelaria do Reich e secretário do Conselho; o general Wilhelm Keitel, chefe do Estado-Maior pessoal de Hitler;

A alegre, frívola e leal Eva Braun, namorada de Hitler

Uma das raras fotos de Hitler sorrindo; já foi sugerido que ele tinha má dentição, devido ao seu gosto excessivo por comer doces

Wilhelm Frick, ministro do Interior; e Walther Funk, ministro da Economia e diretor do Reichsbank.

Adolf, apesar do conflito, continuava com os seus mesmos hábitos. Não fumava nem tomava álcool. Era rigorosamente vegetariano. Prosseguia na sua amizade a Eva Braun. Seria amor?

— Uma amizade puramente platônica — disse Himmler ao seu massagista Felix. — Eva Braun é a única pessoa no mundo que pode acalmar Hitler, quando se vê acometido pelos seus

Um francês chora, desconsolado, enquanto soldados alemães ocupam Paris, em 14 de junho de 1940

violentos ataques de ira, ou, melhor dizendo, seus acessos de fúria. Exerce uma benéfica influência sobre ele. Talvez lhe recorde a sua querida mãe, Clara. Seja como for, quando trabalha no seu grande escritório de Berchtesgaden, com vista para os Alpes, ele gosta que ela esteja sentada e calada junto da janela, bordando. O seu perfil, ao recortar-se sobre o magnífico panorama, inspira a Hitler grandes ideias. Quanto a ela, Eva Braun, é uma mulher afetuosa, não sensual.

* * *

O Führer quis então agir de maneira mais enérgica, a fim de solucionar o "problema judaico". Graças ao auxílio de Himmler, Heydrich, Kaltenbrunner e de Eichmann, começou a tarefa. A princípio os judeus alemães, em batalhões, eram transportados para a Polônia. Depois passaram a ser mortos nas câmaras de gás dos vários campos de concentração: Dachau, Maidanek, Auschwitz, Treblinka.

Em Auschwitz, segundo o informe do professor Grzywo--Dabrowski, os nazistas faziam experiências laboratoriais principalmente em mulheres. Eram submetidas à esterilização artificial, à ablação dos ovários. Também inoculavam o câncer do útero e provocavam abortos prematuros.

No bloco 21 do mencionado campo, os homens eram castrados em massa, a fim de que os médicos alemães pudessem estudar os efeitos do raio X sobre o tecido testicular.

Os doentes atacados de tifo tinham de ser remetidos logo às câmaras de gás.

O médico Josef Mengele, oficial da SS, selecionava os judeus que deviam morrer nas câmaras de gás. Apaixonado pela genética, mandava extirpar os órgãos sexuais de meninos de doze a quinze anos. Nas mulheres jovens fazia persistentes tentativas de inseminação artificial.

Mas existiam outros médicos preocupados com tais experiências: König, Schumann, Wirthe, Rohde, Tilot, Klein e Müller. Esses monstros se divertiam de vários modos: inoculavam a malária, aplicavam correntes de alta tensão nos crânios dos judeus, removiam os órgãos genitais para estudá-los ao microscópio, provocavam, com o ácido prússico, a paralisia dos pulmões...

Quanto às crianças, estas eram arrancadas às mães. Os soldados nazistas gostavam de jogar estes seres inocentes do alto dos caminhões, para que suas cabecinhas fossem esfaceladas. Também lançavam as crianças no ar, pois assim podiam espetá-las na ponta das baionetas. Muitas foram colocadas vivas nos fornos crematórios.

Hoess, o comandante de Auschwitz, tinha um prazer especial em executar ciganos. Eram os seus preferidos...

Os judeus, em grupos compactos, eram assassinados com tiros na nuca. Depois uma equipe especializada arrancava, empregando alicates, os dentes de ouro ou de platina dos cadáveres. Esses dentes passavam por uma seleção, sendo guardados em caixas e, logo em seguida, remetidos à Alemanha.

O gás Zyklon-B, utilizado no extermínio dos israelitas, fazia jorrar sangue dos pulmões e excrementos do ânus.

Palitsch, um dos carrascos de Hitler, gabava-se de ter fuzilado, sozinho, 25 mil prisioneiros.

Eram bastante requintados certos métodos de tortura: enterravam-se agulhas nas unhas, derramava-se água fervendo no nariz, esmagavam-se dedos.

O nazista Aumeier recebia os comboios de prisioneiros com estas palavras:

— Vocês estão em Auschwitz, no campo da morte, ninguém sai daqui, nem mesmo os cães.

Imediatamente, depois de tal declaração, os carrascos lançavam-se sobre os recém-chegados e davam-lhes surras, para se acostumarem à vida no campo.

Os médicos germânicos aplicavam, em muitos prisioneiros, injeções de petróleo bruto. Um enfermeiro de Auschwitz depôs, mais tarde, sobre esse "tratamento" horrível:

— Eu era enfermeiro, e sob as ordens dos alemães, devia fazer toda espécie de picadas e outras intervenções. Posso afirmar que um grande número de internados recebeu injeções subcutâneas de petróleo na coxa. Provocava-se também uma irritação da pele pela aplicação de uma solução de acetato de alumínio a oitenta graus. Em seguida, tirava-se pedaços da pele para exame. Quando a lesão era profunda, se arrancava às vezes com a pele o músculo subjacente.

Devemos esclarecer o que acontecia ao paciente quando injetavam petróleo bruto: o organismo era infestado de focos purulentos. Estes se formavam sobretudo nas articulações, paralisando os movimentos.

Enovela-se, dos campos de concentração, o cheiro enjoativo e adocicado dos cadáveres queimados nos fornos crematórios.

Com a gordura dos judeus os alemães fabricavam sabão. A pele era utilizada na encadernação de livros ou no revestimento de abajures. As cinzas dos defuntos serviam para a agricultura. Os cabelos das mulheres eram largamente utilizados na indústria do Terceiro Reich: transformavam-se em pano, colchões, calçados, vestuário.

O campo de concentração de Birkenau tinha um aspecto tenebroso: apresentava-se coberto de pântanos, cercado de arame farpado. Neste passava uma corrente de alta tensão. Não possuía esgoto nem água. Os excrementos e as imundícias apodreciam à vontade, empestando o ar. E de tal forma que os pássaros, guiados pelo instinto, se afastavam desse lugar hediondo, por onde os prisioneiros vagavam como espectros, acutilados pelas baionetas das feras nazistas.

A fim de "purificar" a raça ariana, torná-la mais eugênica, Adolf deu ordens secretas a Philipp Bouhler e ao doutor Brandt para eliminarem os doentes incuráveis. Mais de 70 mil alienados foram liquidados nas câmaras de gás. Grande também foi o número de crianças anormais assassinadas pelos hitleristas.

Mas houve quem teve coragem de protestar. O bispo Von Galen e o príncipe Filipe de Hesse levantaram suas vozes contra esses atos desumanos, anticristãos.

* * *

Churchill, que fora primeiro lorde do Almirantado e que se opôs à política apaziguadora de Chamberlain, iria ser nomeado, em breve, primeiro-ministro da Inglaterra. E alcançaria essa posição no dia 10 de maio de 1940, data em que a Alemanha invadiu o Luxemburgo, a Bélgica e a Holanda.

Após o tratado de paz estabelecido entre a Rússia e a Finlândia, Hitler encontrou-se com Mussolini no passo de Brener. O ditador italiano queria entrar na luta, mas as dúvidas o torturavam. Hitler desejava, porém, que a Itália se mantivesse neutra e armada, por certo tempo.

A 9 de abril de 1940, a Dinamarca foi ocupada pelas tropas nazistas, que não encontraram resistência alguma. O próprio Hitler dirigiu as operações, no edifício da sua nova chancelaria, em Berlim.

Enquanto o território dinamarquês sofria o ataque do exército alemão, que logo ocupou o país, contingentes nazistas, apoiados pela Luftwaffe e por unidades da marinha de guerra, desembarcaram nas principais cidades da Noruega.

Deste modo o Führer se apoderou da Escandinávia, que era um grande reservatório de minério de ferro, elemento do qual ele tanto precisava para alimentar a guerra.

Vidkun Abraham Quisling, chefe dos fascistas noruegueses, estabeleceu com Hitler uma colaboração estreita. O seu nome, tanto na sua terra natal como no mundo inteiro, tornou-se sinônimo de traidor.

Concluída a campanha da Noruega, Adolf ordenou a invasão da Bélgica, da Holanda e da França.

Roterdã, em consequência dos ataques aéreos, ficou em grande parte destruída. Milhares de criaturas morreram. A cidade se viu

Prisioneiros britânicos em Dunquerque, França, junho de 1940

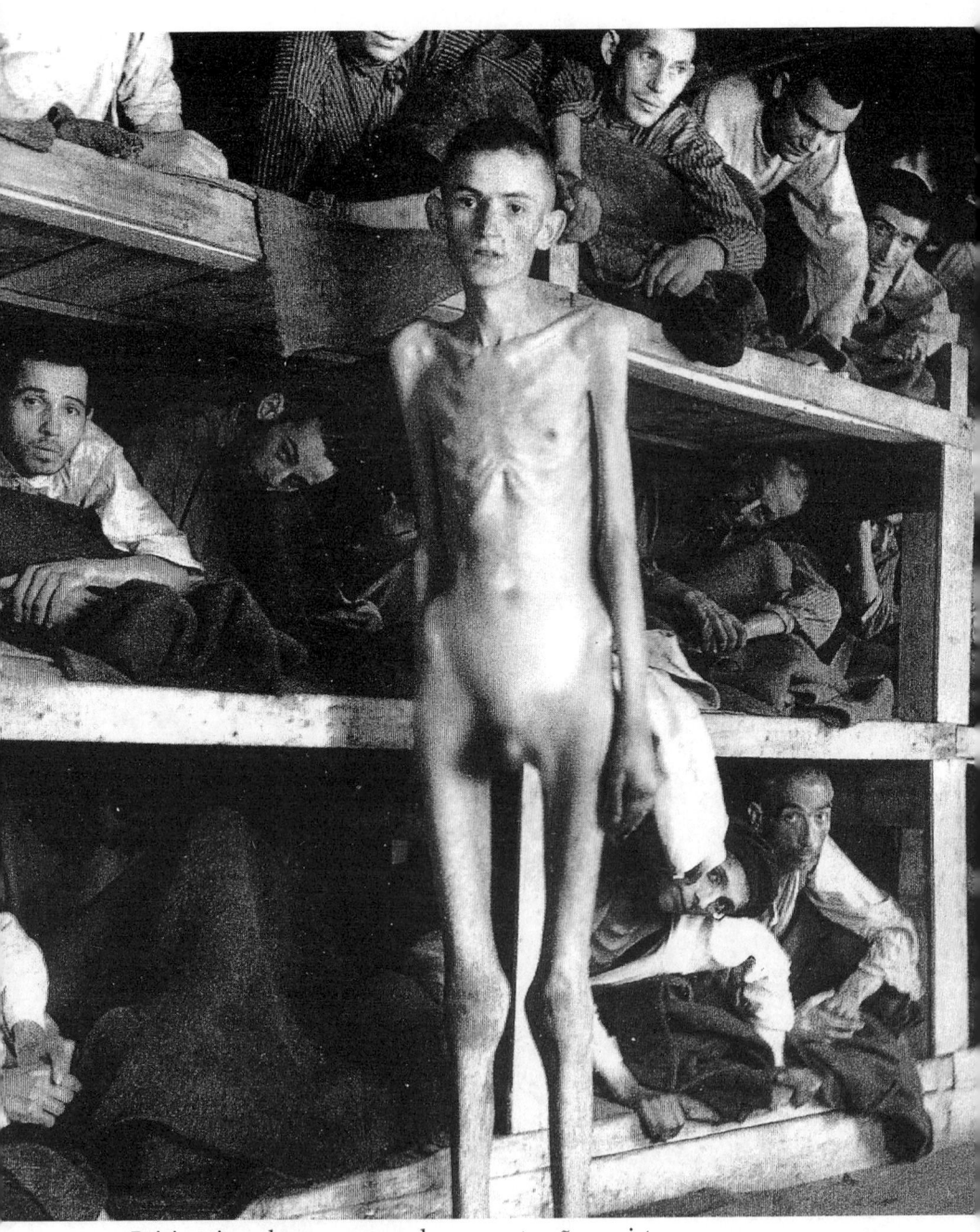

Prisioneiros de um campo de concentração nazista

Hitler dá um quadro de presente ao obeso Goering

Prisioneiras em Auschwitz

em chamas, devido às terríveis bombas incendiárias. Tropas paraquedistas desciam do espaço e ocupavam posições-chave. O exército holandês, ao cabo de cinco dias de luta, sofreu cem mil baixas, isto é, a quarta parte dos seus efetivos.

A Holanda estava vencida e os alemães já tinham atravessado a linha do Mosa em três pontos, penetrando extensivamente na Linha Maginot.

Não tarda que as forças do Reich tomem Bruxelas, enquanto o governo belga se transfere para Ostende.

Depois vem o rompimento da linha francesa ao sul de Sedan, a tomada de Antuérpia, a travessia do Escalda, a captura de Arras e Amiens.

Após o alargamento da brecha do Somme pelos alemães, o rei Leopoldo ordenou a rendição do exército belga.

Os exércitos hitlerianos vão de vento em popa: ocupam Dunquerque, depois da heroica evacuação do corpo expedicionário britânico, atingem Rouen e Gisors, e perfuram a Linha Weygand, ao sul do rio Bresle.

Cheio de inveja pelas vitórias germânicas, temendo não chegar a tempo para participar da reorganização da Europa, Mussolini declara guerra à Grã-Bretanha e à França, no dia 10 de junho. Hitler, que se achava em Brûly-de-Pesche, no seu quartel-general, ao saber da notícia, exclamou:

— É estúpido, estúpido!

De nada tinham valido os conselhos de prudência. O Duce era demasiado impaciente e ambicioso...

Os triunfos das tropas germânicas prosseguem. Haviam atravessado o Sena e chegado a Beauvais, obrigando o governo francês a deixar Paris e a retirar-se para Tours. Depois de passarem o Marne, os alemães se concentraram em torno de Reims.

A França se debatia, pedindo socorro à Inglaterra e aos Estados Unidos. Paris foi ocupada pelos invasores que, imediato, flanquearam a Linha Maginot, enquanto o governo gaulês se retirava para Bordéus.

O ministério Reynaud caiu e Pétain formou o novo governo, que pediu armistício à Alemanha e à Itália.

Logo que soube desta notícia, Hitler, que se encontrava na pequena localidade belga de Brûly-de-Pesche, não pôde conter o seu contentamento. Diante da sua perplexa comitiva, ele se pôs a dançar. A felicidade se estampava no seu rosto de linhas imprecisas. Agitava os braços, as pernas, em movimentos cômicos. Ria, com as faces afogueadas de sangue. Sentia-se ébrio de prazer, à semelhança de Tor, o sanguinário filho de Odin, que amava os raios, os trovões e os sacrifícios humanos.

17

O novo "Deus das Batalhas"
determina o aniquilamento da Rússia

Na época do armistício franco-alemão, Hitler fez uma visita a Paris. Foi à Ópera, à Torre Eiffel, e depois compareceu aos Inválidos, perante o túmulo de Napoleão. Aí, cercado pelo seu séquito de militares, ficou de cabeça baixa, pensativo, contemplando o sepulcro de mármore rosado do pequeno corso que fizera estremecer o mundo. Ele, Adolf Hitler, também teria um túmulo esplêndido, pois já havia desenhado o esboço desse monumento. Possuiria um obelisco de duzentos e vinte metros de altura e seria coroado por uma águia imperial de quarenta metros de envergadura. Formosos e elegantes relevos, em redor, representariam todos os aspectos históricos do movimento nacional-socialista.

Himmler calculava que o mausoléu custaria cinquenta milhões de marcos e que devia ser edificado na Königsplatz, de Berlim. Achava que a sua altura precisava alcançar trezentos e cinquenta metros. Quanto ao diâmetro, teria no mínimo uns mil e quinhentos metros... A cripta superaria a de qualquer faraó, e o ataúde seria de ouro, cravejado com pedras preciosas dos Urais. Tal sepulcro conteria vastos salões para festas, capazes de abrigar umas trezentas pessoas. No edifício haveria um panteão, onde se poderia admirar os bustos de todos os fiéis colaboradores de Hitler.

— Dentro de mil anos — explicou Himmler a Kersten — gente de toda a Alemanha irá em peregrinação ver esta sepultura do maior dos alemães. A Alemanha se estenderá dos Urais ao Canal da Mancha, e do Oceano Glacial Ártico ao Mediterrâneo. E este edifício será sagrado, o ponto central da verdadeira religião alemã.

A 11 de agosto de 1940, teve início a ofensiva aérea germânica contra a Grã-Bretanha, mas a Luftwaffe começou a sofrer pesadas perdas.

Em 4 de setembro, Hitler assevera que a Alemanha se encontrava preparada para uma guerra longa. Ameaçou tomar represálias pelo bombardeio de cidades alemãs e prometeu invadir a Inglaterra.

Três dias depois há o primeiro grande bombardeio de Londres, por trezentos e setenta e cinco aviões alemães, dos quais cento e três são abatidos.

No dia 15, num outro ataque aéreo contra Londres, o Terceiro Reich perde cento e oitenta e cinco aviões.

Os nazistas logo sentiram como era árdua a batalha contra a Inglaterra. A invasão seria dificílima. O próprio Führer, numa conferência com o almirante Raeder, teve de reconhecer o vulto de semelhante empresa:

— A invasão da Grã-Bretanha é uma tarefa de excepcional audácia, porque, ainda que o caminho seja curto, não se trata do cruzamento de um rio, e sim de um mar que está dominado pelo inimigo. Não se trata de uma operação de cruzamento único, como a da Noruega. Nem se pode esperar uma surpresa de operação: um inimigo preparado defensivamente e absolutamente resoluto se enfrenta conosco e domina a superfície marítima de que necessitamos servir-nos. Pelo que compete ao exército, serão necessárias quarenta divisões. A parte mais difícil será o reforço contínuo dos depósitos militares. Não podemos ter certeza de encontrar na Inglaterra qualquer classe de reforços. As condições prévias são um domínio absoluto do ar, o emprego eficaz de uma poderosa artilharia no estreito de Dover e a proteção de campos de minas. Também constitui um fator importante a época do ano.

Os italianos tinham invadido a Somália britânica, mas nem tudo ia bem para eles, pois os ingleses, apesar de várias derrotas, consolidavam as suas posições.

Em virtude do Pacto Tripartido de setembro de 1940, a Alemanha, a Itália e o Japão consideraram, como requisito prévio para uma paz duradoura, que todas as nações recebessem um espaço adequado. De acordo com esse tratado, o Japão reconhecia e respeitava a liderança germano-italiana na criação de uma nova ordem europeia. A Alemanha e a Itália, por seu turno, acatavam a liderança do Japão no estabelecimento de um novo sistema político na zona da Grande Ásia. Comprometiam-se, ainda, essas três potências, a prestar mútua ajuda, no caso de uma delas ser atacada por um país que não estivesse intervindo na guerra europeia ou no conflito chino-japonês.

Sequioso de glória militar, querendo, a todo custo, emparelhar-se com Hitler, o trêfego Mussolini ordena a invasão da Grécia. Hitler ficou possesso. Não havia, entre a Alemanha e a terra do general Metaxas, nenhum problema sério, que atrapalhasse as relações dos dois países. A Itália, sob o ponto de vista bélico, ainda se mostrava deficiente.

— Foi Ciano, sem dúvida, que fez o Duce cometer esta asneira! — exclamou irado o Führer.

Logo no começo das hostilidades, os gregos obrigaram os italianos a recuarem além da fronteira albanesa, na parte setentrional da frente de combate.

Os ingleses, por sua vez, desembarcaram em Creta, e a aviação naval britânica afundou várias belonaves italianas no porto de Tarento.

Para vingar os bombardeios da RAF[7] sobre Munique, a Luftwaffe realizou violento ataque noturno a Coventry, que ficou quase inteiramente destruída.

Os gregos alcançam vitórias sucessivas: destroem uma divisão italiana nos Montes Pindo e tomam Koritza, Pogradets, Premet, Chimara, Klisura.

Na África as coisas também andam mal para Mussolini, pois os ingleses penetram na Líbia, capturam Sollum e Forte Capuzzo, invadem a Eritreia, ocupam Tobruk e Bengási.

O marechal Erwin Rommel, sob as ordens de Hitler, organizou o Afrika Korps, a fim de socorrer as milícias fascistas.

Rommel, um dos maiores talentos do exército germânico, foi um dos primeiros dirigentes das tropas de assalto. Conhecia profundamente todas as táticas da guerra mecanizada. Graças à sua habilidade conseguiu, em Sedan, penetrar através da Linha Maginot, avançando até Abbeville. Pelos seus méritos invulgares de soldado e estrategista, fora nomeado Cavaleiro da Ordem da Cruz de Ferro.

Encontrando-se com Hitler, na ocasião de ser condecorado, Rommel lhe declarou, sobre a campanha da África:

— Führer, precisamos impedir a próxima ofensiva inglesa. A conquista de Malta assegurará de modo efetivo os abastecimentos. Esta ilha pode ser tomada rapidamente com as forças disponíveis que temos na Itália e a colaboração da esquadra aérea de

---

[7] Royal Air Force, a força aérea do Reino Unido.

Kesselring. Ou então há outro meio: investir contra Tobruk, tendo o respaldo de todas as forças aéreas. Se fizermos isto, resolveremos o problema dos abastecimentos, pois já não seria preciso utilizar a estrada de Trípoli, que se encontra ameaçada por Malta, diretamente.

A decisão dependia de Hitler. Ele tinha de escolher uma das operações: permitir a investida de Rommel contra Malta ou Tobruk. Mas Adolf não quis definir-se. Horrorizava-o, às vezes, as atitudes claras, os gestos firmes, prudentes. Desviou-se do assunto, fazendo perguntas a respeito do armamento britânico:

— Como são os canhões ingleses de campanha de oitenta e dois milímetros?

A conferência terminou, sem que Adolf nada decidisse.

No dia seguinte, durante a ceia, Rommel sentou-se ao lado de Hitler. Ainda aguardava, esperançoso, a decisão do Führer. Diversas figuras conhecidas achavam-se presentes: Himmler, Bormann, Keitel, Jodl, Morell. Em determinado momento, todos ouviram a voz de Hitler, insultando Churchill:

— Esse bêbado, esse miserável bêbado! Verá com quem tem que se haver!

O comandante Engel voltou-se para um dos presentes e lhe disse, discretamente:

— Não se assuste. É o estribilho de todas as refeições. Quando começa com isto, esquece-se do resto.

Informa Desmond Young, na sua obra sobre Rommel, que Hitler mandou ao valoroso marechal o seguinte telegrama, após os infrutíferos apelos do organizador do Afrika Korps:

A situação exige que se mantenham as posições de El Alamein até o último homem. Não deve haver retirada, nem sequer de um milímetro. Vitória ou morte!

Mussolini e Hitler em Munique, junho de 1940

A situação italiana na Grécia era desesperadora. O Duce e o Führer iam se encontrar, mas Mussolini sentia-se algo vexado por ter de pedir auxílio a Hitler. Alfieri, o embaixador italiano, lhe diz que com os nazistas os meios termos não adiantam nada. A franqueza, embora rude, tornava-se necessária.

Hitler, nesses momentos de tortura para Mussolini, afetava, perante o ditador italiano, uma superioridade insuportável. Tal superioridade já havia sido observada por Alfieri, durante uma entrevista, quando o Führer, "em tom polêmico e vivaz", desaprovou o ataque italiano contra a Grécia.

— O senhor tinha razão — confessou Mussolini ao seu embaixador, depois de um colóquio com o ditador germânico. — Hitler foi cortês comigo, amável, compreensivo. Demais até. É um homem histérico. Ao dizer que ninguém mais do que ele vivera e compartilhara a minha angústia, tinha lágrimas nos olhos. Isso tudo não passa de um exagero. Fez-me sentir e pesar demais a sua bondade, a sua generosidade, a sua força e superioridade. O estudo e o esforço sincero, ou forjado, em que se empenhou para me tirar de apuros, acabaram por me ofender. Parece cantar vitória. Mas ainda não sabemos quais sejam os desígnios definitivos do Deus das Batalhas.

E voltando-se para Ciano, que se achava ao seu lado, Mussolini desabafou:

— Isto é para mim um suplício. Não vejo a hora de ir embora.

A estes aborrecimentos ele tem de suportar mais dois: os italianos sofrem contínuos revezes na Abissínia e uma impressionante derrota naval no Cabo Matapan.

Rommel, contudo, inicia a sua ofensiva na Líbia, envolvendo Tobruk e tomando Bardia.

A Alemanha logo invade a Iugoslávia e a Grécia que, em pouco tempo, capitulam.

No dia 10 de maio de 1941, houve um acontecimento inesperado que aborreceu Hitler intensamente: Rudolf Hess, que ele havia nomeado o seu segundo sucessor depois de Goering, caiu de paraquedas em terras da Escócia. Cultor fervoroso das ciências ocultas, Hess acreditava que existia na Grã-Bretanha, no seio da alta aristocracia, um partido favorável à paz. Pretendia, por tal motivo, com esse gesto rocambolesco, ajudar o seu amado Führer.

O Ministério da Propaganda do Reich, porém, logo atribuiu a ação quixotesca de Hess a um acesso de alienação mental. Assim, o mundo não pensaria que Hitler dera uma prova de fraqueza, solicitando a paz...

* * *

Há muito tempo Hitler se preocupava com a Rússia. Sempre pregara a expansão para leste. O Pacto Germano-Soviético, de agosto de 1939, fora para ele apenas uma medida de defesa. A luta pela sistematização da foz do Danúbio, da qual quisera excluir a União Soviética, e a assinatura do Pacto Tripartido, enfraqueceram seriamente o acordo firmado em Moscou.

A rivalidade russo-alemã nos Bálcãs era cada vez mais tensa.

Ninguém que conheça geografia política e econômica ignora a importância dos estados balcânicos como posições estratégicas e fontes de recursos agrícolas e minerais.

Hitler votava à raça eslava o maior dos desprezos. O povo russo, a seu ver, vivia na barbárie e era inferior. Devia ser dominado pelos alemães, castigado mesmo. Eliminando o colosso soviético, poderia combater melhor a Inglaterra, sem recear um ataque pelas costas, desfechado pelo manhoso Stalin.

O sonho dourado de Adolf era lançar um golpe mortal no país das infinitas estepes, destruir Leningrado, berço da ideologia bolchevista, e apoderar-se da Ucrânia, a mais importante região industrial da Rússia. Também queria, ardentemente, os poços petrolíferos do Cáucaso.

O problema russo o deixava insone. Notando isto, o conde Schulenburg, embaixador alemão na União Soviética, tentou demovê-lo de suas intenções. Afirmava que Stalin não tomaria nenhuma iniciativa de ataque e que, segundo alguns generais, a guerra seria longa e difícil. Mas Hitler fechou os ouvidos. Influenciado pela sua propaganda, julgava-se o maior gênio militar de todos os tempos.

Certa feita o chefe do Estado-Maior apresentou-lhe números e cifras sobre a produção russa de tanques. Adolf estourou de raiva. Decidiu, imediato, suprimir o departamento técnico que havia elaborado aquelas "cifras tão derrotistas".

Vendo que os generais duvidavam da debilidade russa, Hitler berrou:

— Os russos já não existem!

E a Jodl, um dos seus melhores generais, ele afiançou:

— Não temos que fazer outra coisa senão dar um pontapé na porta. Toda essa podre estrutura virá abaixo, estrepitosamente.

A estrutura a que se referia era o regime comunista, porquanto baseava as suas esperanças de vitória, em grande parte, na certeza de que a invasão iria provocar, na Rússia, uma revolução política. Stalin, vendo-se impotente para impedir as contínuas derrotas infligidas por um povo de raça superior, seria derrubado pelos seus próprios concidadãos.

Os soviéticos não haviam feito comentários oficiais a respeito da ocupação militar da Romênia pelas tropas alemãs, mas o Kremlin expressou a sua desaprovação quando os tudescos entraram na Bulgária.

Ao alvorecer do dia 22 de junho de 1941, teve início a invasão da Rússia pelas tropas de Hitler. O avanço foi fulminante. Em pouco tempo os alemães capturaram Smolensk e outras importantes cidades.

À vista disso, a Inglaterra e a União Soviética firmaram um pacto de auxílio mútuo. Também os Estados Unidos e a Grã-Bretanha fizeram uma declaração de princípios, conhecida pelo nome de Carta do Atlântico, e subscrita por Roosevelt e Churchill. Ambos os países aludiam à tirania nazista, condenavam o uso da força e asseguravam que não tinham projetos imperialistas, sob nenhum ponto de vista.

Os exércitos alemães afundavam-se pelas vastas planícies da Rússia e Hitler calculava, enquanto isso, que a campanha seria rápida, arrasadora. Instalou o seu quartel-general, conhecido como "Reduto do Lobo", na floresta de Rastenburg, localizada na Prússia Oriental.

O secretário do Führer, o sinistro Martin Bormann, homem da sombra, do silêncio, dotado de uma ambição voraz, procurou isolá-lo, gradativamente, do mundo exterior.

Confiante na vitória, Hitler ordenou a desmobilização de quarenta divisões. As fábricas deveriam diminuir a produção de armamentos.

Uma discordância de opiniões acentuou-se, todavia, entre ele e vários generais, que queriam a imediata tomada de Moscou. Brauchitsch, Halder, Bock, Guderian, Hoth e mais alguns militares defendiam esta ideia. Hitler, porém, desejava primeiro conquistar a Ucrânia.

Stalin aconselhara a tática da "terra arrasada". À medida que os alemães avançavam, iam encontrando tudo destruído, incendiado.

Em 6 de dezembro de 1941, auxiliados pelo começo de um inverno rigoroso, os russos desencadearam uma ofensiva geral. Retomando Kaliningrado e Kaluga, o general Jukov afastou o perigo que ameaçava Moscou. O general Timoshenko, no sul, recapturou Rostov e a bacia do Donetz.

As tropas germânicas não estavam preparadas para enfrentar o terrível inverno russo, aquele mesmo "General Inverno" de semblante gelado, duro, que aniquilara indiferente, em 1812, as valorosas hostes napoleônicas.

Josef Stalin, o sanguinário ditador da Rússia

O marechal Rommel, a Raposa do Deserto, foi um dos melhores co-mandantes de Hitler

Os japoneses haviam atacado Pearl Harbor e os Estados Unidos, pegados de surpresa, declararam guerra ao Império Nipônico. Hitler e Mussolini, por sua vez, lançam a Alemanha e a Itália contra a nação ianque.

O gelo paralisa, quase por completo, no gigantesco fronte russo, o poderoso exército mecanizado alemão.

O doutor Goebbels fez um apelo ao povo, através do rádio, pedindo agasalhos, peles, roupas de lã, para os soldados germânicos.

Hitler resolve então destituir, do seu posto de generalíssimo do Exército, o marechal Walther von Brauchitsch. E quem assume o comando das forças terrestres alemãs é o próprio Adolf.

Até 20 de fevereiro de 1942, conforme esclarece Goebbels no seu diário, houve entre os germânicos, na campanha do Este, quase um milhão de baixas. Produziram-se, também, 112.627 casos de congelação.

"O número de baixas causadas pelo frio é muito mais elevado do que supúnhamos a princípio", escreveu o imaginoso ministro da Propaganda, rendendo-se à evidência dos fatos.

Numa conversa mantida com Goebbels, o ditador se queixou do inverno, que lhe provocava "terríficas preocupações". Quanto a Brauchitsch, disse que era apenas um poltrão e um velhaco:

"O Führer se refere a ele com absoluto desprezo. É um homem vazio, covarde, crápula, que não podia enfrentar a situação e muito menos dominá-la. Com suas constantes interferências e sua pertinaz desobediência, estropiou todo o plano da campanha do Este, traçado com claridade cristalina pelo Führer. O Führer tinha um plano que devia levar-nos à vitória. Se Brauchitsch houvesse feito o que se lhe pedia e o que realmente devia ter feito, nossa situação no Este seria totalmente distinta da que é hoje."

Os representantes dos vinte e seis países em guerra com o Eixo firmaram, em 1º de janeiro de 1942, uma "Declaração das Nações

Unidas". Cada país se comprometia a não fazer uma paz separada com o inimigo.

Goebbels justificava os revezes germânicos na União Soviética devido a um fator: o rigoroso inverno. Entretanto, antes desse estratagema, o doutor Otto Dietrich, chefe da Imprensa do Reich, havia dito aos jornalistas alemães e estrangeiros:

— O inverno em nada nos prejudica. Adolf Hitler previu todos esses acontecimentos. O general Inverno, longe de ser um aliado dos russos, provará, desta vez, ser nosso amigo.

A desconfiança que Adolf nutria pelos seus generais era tamanha que, quando estes queriam vê-lo, tinham de abandonar os revólveres e os sabres, antes de entrarem no seu gabinete.

Foi em 1942 que ele passou a sofrer fortes ataques de vertigem. A sua saúde, até então, havia sido boa. É verdade que o professor Von Eicken lhe havia extraído, em 1935, um pólipo das cordas vocais. Padecia também, de vez em quando, de zumbidos nos ouvidos e cólicas no estômago. Mas, à parte isto, sempre mostrou, depois que assumiu o poder, uma admirável vitalidade. A vida sedentária, porém, que principiou a levar, a falta de ar livre, contribuíram para acentuar os seus pequenos males.

O médico oficial de Hitler era o professor Theodor Morell, um charlatão, protótipo do curandeiro sem escrúpulos. Homem gordo, senil, subserviente, desprovido de higiene, Morell lhe fornecia uma quantidade excessiva de drogas suspeitas e estimulantes. Mentiroso deslavado, sustentava que ele, grande mestre da ciência médica, fora o verdadeiro descobridor da penicilina. A sulfa que a sua fábrica de medicamentos produzia, em Budapeste, chamada Ultraseptyl, foi condenada pela Faculdade de Farmácia da Universidade de Leipzig como sendo prejudicial para o sistema nervoso.

Hitler confiava cegamente em Morell. Tinha se acostumado de tal forma aos seus estimulantes que não podia passar sem eles.

O professor Karl Brandt, que foi cirurgião do Führer, informou, posteriormente, que Morell acabou dando preferência exclusiva ao tratamento por meio de injeções. No caso dos resfriados, aplicava fortes doses de hormônios, vitaminas, glicose, etc.:

"...de maneira que o paciente se sentia melhor imediatamente, e este tipo de tratamento parecia impressionar, de forma favorável, a Hitler. Logo que se sentia um pouco resfriado, tomava de três a seis injeções diárias. E com isto impedia o desenvolvimento da infecção. Terapeuticamente não deixava de ser satisfatório. Morell, imediato, começou a utilizar o mesmo processo como profilático. Se Hitler tinha que pronunciar um discurso com tempo frio ou chuvoso, lhe dava injeções um dia antes, no dia do discurso e no dia seguinte. A resistência normal do corpo era assim substituída por um meio artificial."

Nos últimos anos de sua existência, consoante o depoimento do doutor Brandt, o exaurido "Deus das Batalhas" recebia essas injeções diariamente.

As cidades do Reich já tinham começado a sofrer os estragos da ofensiva aérea anglo-americana. Este fato abalou ainda mais os nervos excitados de Hitler.

Onde estava Goering? O nédio marechal, devido ao malogro da Luftwaffe, andava meio desmoralizado. Vivia distante de Berlim, em Karinhall, magnífica residência que custara vários milhões, situada na floresta prussiana.

Goering abarrotara de coisas faustosas a sua moradia, que se assemelhava a um palácio oriental, habitado por um sultão balofo e caprichoso. Nesta residência suntuária, feita para *épater le bourgeois*, havia uma espaçosa piscina, construída de uma rocha verde-claro, considerada raríssima, uma imensa sala de jantar, com colunas de mármore vermelho de Verona, enormes lampadários de cristal da Boêmia, uma biblioteca idêntica à Biblioteca do Vaticano, tendo uma mesa de vinte e seis pés de largura, toda de caoba, incrustada de suásticas em bronze e sustentando dois grandes e fulgentes candelabros barrocos de ouro.

Os objetos que ele acumulara eram belíssimos e inestimáveis: gobelins legítimos, espadas exóticas, trajes sacerdotais, baixelas, bronzes, estátuas, quadros retirados de museus, couros de Córdova, taças de quartzo, móveis de ônix, bastões de prata e turquesa, veludos de Gênova, lãs da Escócia e da Hungria, vasos antigos, lavrados e cinzelados, joias principescas.

Nesse ambiente de luxo teatral, Goering ora se vestia de marajá, ostentando um alto turbante onde reluziam pedras preciosas, ora se trajava de duque veneziano.

Mas deixemos o megalômano *Reichsmarschall* abandonado aos seus prazeres e voltemos ao seu amigo Hitler, que leva uma vida bem diferente.

A campanha da Rússia ia de mal a pior. Adolf estava com os nervos à flor da pele.

Desde setembro de 1942, os alemães tinham alcançado os subúrbios ocidentais de Stalingrado. A luta se desenrolara de maneira encarniçada. Os russos não arredavam o pé da cidade. E a 19 de novembro, iniciaram um movimento envolvente contra as forças invasoras. Dois comandantes soviéticos, Rokossovski e Ieremenko, fizeram junção e cercaram as tropas de Von Paulus. Houve uma contra-ofensiva germânica, em meados de dezembro, mas a situação permaneceu desesperadora.

Hitler não deixava o seu quartel-general, fazendo cálculos sobre as operações.

Von Paulus poderia, com alguma probabilidade, romper o cerco dos russos. Adolf, contudo, ordenou que as tropas se conservassem em suas posições. O general descreveu os sofrimentos de seus soldados, martirizados pela fome, pelo frio e pelas epidemias. Era impossível resistir mais tempo.

Tropas alemãs na Rússia, 1941

Mas Hitler desejava que o exército alemão de Stalingrado fosse como os "Trezentos das Termópilas": aqueles milhares de homens deviam lutar até o fim. Morreriam todos por ele, para revelarem ao mundo o verdadeiro espírito da Alemanha nacional-socialista. Esperando que tal fato acontecesse, enviou a Von Paulus a seguinte mensagem:

Capitulação impossível. O 6º Exército cumprirá com o seu dever histórico em Stalingrado até cair o último homem, para desse modo tornar possível a reconstrução da frente oriental.

Depois nomeou Von Paulus marechal de campo. Esperava, deste modo, comprar a sua lealdade.

Tudo inútil. O novo marechal, a 31 de janeiro de 1943, foi aprisionado com o grosso do seu exército. Renderam-se vinte e quatro generais, noventa mil homens e cerca de dois mil e quinhentos oficiais.

Hitler, quando soube, exsudou ódio. Disse, abespinhado, que Von Paulus devia ter se matado. Pelo menos, assim fazendo, procederia como os antigos guerreiros, que se arrojavam às espadas ao verem perdidas as suas causas.

— O que mais me fere, pessoalmente — lamentou — é quando o nomeei marechal de campo. Quis dar-lhe esta derradeira satisfação. Será o último marechal de campo nomeado por mim nesta guerra. Não se pode contar os pintos enquanto não saiam da casca do ovo. Não o entendo, por mais que me fatigue, raciocinando muito. Tantos homens têm que morrer e um, como este, lança no último minuto uma nódoa sobre o heroísmo de tantos outros... Poderia ter se libertado de tantos incômodos, entrar na eternidade, na imortalidade nacional, e prefere ir a Moscou. Que classe de escolha é esta? Carece por completo de sentido...

Mais tarde, encontrando-se com Rommel, o Führer ainda disse:
— As portas do Valhala estavam abertas para Paulus, mas ele preferiu as de Lubianka.

* * *

Na África o conflito continuava. Rommel, todavia, já não consegue manter-se em suas posições nem avançar. O seu ataque na Linha Mareth fora repelido. Desencadeara-se a ofensiva aliada. Montgomery e Patton fizeram junção na Tunísia.

No dia 12 de maio de 1943, o general Von Arnim rendeu-se, na Tunísia, com as últimas forças. Duzentos e cinquenta mil soldados alemães e italianos foram feitos prisioneiros.

Terminada a campanha da África, os participantes da Conferência de Casablanca decidiram levar a cabo a conquista da Sicília. Sob o comando supremo de Eisenhower, os Aliados desembarcaram, em 10 de julho, no sul dessa ilha.

Nove dias depois, Hitler partiu de avião para se encontrar com Mussolini em Feltre, nas cercanias de Belluno. Três dias antes, Roosevelt e Churchill tinham advertido a Itália que se ela quisesse sobreviver, precisava derrubar o fascismo.

O encontro dos dois ditadores se realizou na bela e aristocrática Villa Gaggia. Quem principiou a falar foi Hitler, que tomara a iniciativa da entrevista. Mussolini sentou-se na borda de uma poltrona muito funda e ampla, cruzando as mãos sobre as pernas, que também se achavam cruzadas.

Hitler, que começara a falar em tom baixo, foi aos poucos elevando a voz. Após um preâmbulo de meia hora, passou a discorrer sobre a situação italiana. Recriminou o povo da península, por não saber enfrentar com firmeza os revezes militares. Disse que o derrotismo imperava de modo impressionante e que as tropas não se haviam batido como era de se esperar.

Mussolini aguentou a impiedosa objurgatória. Uma vez ou outra passava a mão, nervosamente, pelo rosto, levando a esquerda atrás da espinha. Soltava longos suspiros, em certos intervalos, olhando o Führer com algum cansaço e paciente resignação.

No mesmo momento em que Hitler e Mussolini conferenciavam, nada menos que quinhentos aviões dos Estados Unidos atacavam Roma pela primeira vez, à luz do dia.

Repetidas ocasiões, nos seus encontros, Adolf declarara ao Duce, em tom solene, que se o adversário se atrevesse a lançar uma única bomba sobre Roma ou Florença, mandaria arrasar, por intermédio de poderosa esquadrilha de bombardeio, uma cidade inimiga...

Da conferência efetuada em Feltre nada resultou de positivo. Mussolini expôs vagamente as suas necessidades, mas Hitler lhe prometeu enviar socorros.

A invasão da Sicília prosseguia. Siracusa, Agrigento, Palermo, caíram nas mãos dos Aliados.

Na Alemanha a RAF e as Fortalezas Voadoras continuavam a despejar toneladas de bombas em cima das grandes cidades e dos centros industriais. Goebbels, no seu diário, confessa que as cartas que recebe lhe causam alguma preocupação, pois depara nelas uma quantidade não habitual de censuras.

"...os autores das cartas perguntam — narra o ministro da Propaganda — por que o Führer não visita as regiões afetadas pelos ataques aéreos, por que não se vê Goering em parte alguma, e, especialmente, porque o Führer não fala ao povo alemão para lhe explicar a situação atual."

Goebbels considera muito necessário que Hitler fale aos germânicos, apesar dos encargos militares que pesam sobre a pessoa do Führer. Acha que não é conveniente desprezar muito o povo, porquanto é ele que tem, em suas mãos, a chave do esforço de guerra do Terceiro Reich.

Além do mais, raciocina Goebbels, se o povo chegasse, em qualquer momento, a perder a vontade de resistir e a fé nos líderes alemães, os nazistas teriam de enfrentar a pior de todas as crises...

18

O esfacelamento do Terceiro Reich

A Alemanha sofria, na sua própria carne, os efeitos do conflito que o seu Führer provocara. No entanto, que fazia este, muitas ocasiões, durante horas seguidas? Preocupava-se, seriamente, com projetos arquitetônicos. Pretendia edificar um novo teatro de ópera e uma nova galeria de pintura em Linz...

Pensava bastante no "problema" judaico. Queria que se adotassem medidas mais radicais para esmagar os israelitas. Achava impossível falar de humanitarismo nesta questão.

Só os alemães, raciocinava ele, podiam organizar a Europa. Os italianos apenas serviam para dar dores de cabeça aos germânicos, para criarem dificuldades.

Angustiava-se com o destino da raça branca. Por quanto tempo ela poderia manter a sua supremacia? As reservas humanas do extremo Oriente constituíam uma séria ameaça. Recordava-se, nervoso, das invasões dos turcos e das conquistas de Gêngis Khan, que penetraram no coração da Europa, "numa época em que os germânicos não estavam preparados para oferecer uma enérgica resistência".

Era impossível estabelecer qualquer acordo com os soviéticos. Os russos deviam ser esmagados da mesma forma como o foram os comunistas na Alemanha, quando quiseram apoderar-se do poder.

O Reich, assegurou Hitler a Goebbels, seria o dono de toda a Europa. É verdade que os alemães sustentariam muitas lutas, mas estas os levariam às mais brilhantes vitórias. Então, após a ocupação do velho continente, estaria aberto o caminho para o domínio mundial...

O êxito da guerra, afiançou Adolf, dependia fundamentalmente de um problema de movimento. A Alemanha perdera Stalingrado, julgava Hitler, porque os germânicos não foram capazes de resolver a questão de transporte.

Confiava ainda na guerra submarina que, em sua opinião, não havia alcançado pleno desenvolvimento, estando apenas no início.

Mesmo em horas tão graves, preocupa-se com coisas pueris. O pintor Gerhardinger se negara a enviar os seus quadros à Exposição de Arte de Munique, por temer que pudessem ser destroçados pelos bombardeios aéreos. Adolf, ao saber disto, perdeu a calma. Mandou dar-lhe um severo castigo, a fim de servir de exemplo aos outros pintores.

Sentia-se completamente hostil aos generais. Lamentava ter de tratar com eles. Não podia suportá-los nem de vista. Afirmou a amigos íntimos, como Goebbels, que os generais eram mentirosos, traiçoeiros, inimigos do nacional-socialismo e reacionários. Quase todos, a seu ver, se mostravam homens de pouca fé, que o enganaram sordidamente em diversas ocasiões.

Hitler encarava a guerra como um choque entre os estados burgueses e as nações revolucionárias. A Alemanha conseguiu pôr fora de combate os estados burgueses, como a França, a Polônia e a Tchecoslováquia, pelo fato de serem absolutamente inferiores, tanto em pensamento como em preparo. Os países de formação ideológica, segundo Adolf, possuem uma clara superioridade sobre os estados burgueses, pois se assentam em sólidos alicerces espirituais. Daí, concluía Hitler, os percalços da campanha do Este: uma ideologia verdadeira, a nazista, chocava-se com uma ideologia falsa, a bolchevista.

Adolf nutria desprezo absoluto pelos poloneses. Achava que estes nasceram, especialmente, para executar trabalhos duros. Convinha manter, na Polônia, um baixo nível de vida. Os polacos só podiam ter um amo: os alemães. Todos os representantes da classe intelectual polonesa deviam ser exterminados. Semelhante medida parece cruel, deduzia Hitler, mas era a lei da vida. Por outro lado, os alemães cuidariam da saúde dos polacos e não deixariam que eles passassem fome. Os poloneses, em manada, seriam bem tratados. Todavia, não poderiam alcançar um nível superior, porquanto se converteriam em anarquistas e comunistas:

"É conveniente, pois, que os polacos continuem sendo católicos romanos. Daremos de comer aos sacerdotes polacos, e eles se encarregarão, por tal motivo, de dirigir as suas ovelhas para o caminho que nós desejamos... E se algum sacerdote proceder de maneira diferente, logo o chamaremos às contas. A missão do sacerdote é manter os polacos tranquilos, néscios e idiotizados. E tudo isto redunda em nosso interesse. Se fosse permitido aos polacos elevarem-se a um nível melhor de vida, deixariam de ser a mão de obra de que necessitamos... O mais inferior dos operários alemães e o mais inferior dos camponeses alemães devem ocupar sempre uma situação econômica que esteja uns dez por cento acima da de qualquer polaco."

Estas palavras de Adolf, que espantam pela ferocidade satânica, pelo trágico e desalmado humor, foram registradas por Martin Bormann, seu taciturno secretário.

Hitler era um homem que não se conformava com derrotas nem tampouco as admitia. Por exemplo, quando Rommel voltou à Alemanha e lhe disse que a África estava perdida, que seria melhor transferir o Afrika Korps para a Itália, o Führer gritou:

— O senhor é um derrotista! As suas tropas são uma récua de covardes!

E acrescentou, uivando de fúria:

— Os generais que me fizeram na Rússia esta mesma classe de sugestões, foram levados ao paredão e fuzilados!

Depois do encontro de Hitler com Mussolini, em Feltre, o Grande Conselho Fascista se reuniu na noite de 24 de julho de 1943. O Duce foi acerbamente criticado pelo seu modo de conduzir a guerra. Vítor Emanuel III, no dia seguinte, comunicou-lhe a sua substituição pelo marechal Badoglio.

— Mas então é o fim! — balbuciou Mussolini, aturdido.

— Não sei se é o fim — respondeu o rei da Itália. — O certo é que se torna necessário que o senhor se afaste. Depois, com o tempo...

— Mas então é mesmo o fim... — repetiu, estarrecido, o líder fascista.

— Já muitas vezes lhe fiz notar algumas graves situações — ponderou o soberano —, mas o senhor presidente não quis dar-me atenção e remediá-las. Agora é preciso conformar-se com a realidade.

A queda de Mussolini preocupou muito o Führer. Não deixava de ser um golpe no prestígio do nazismo...

Imediatamente Hitler concebeu um projeto audacioso: uma divisão de paraquedistas, que se achava no sul da França, desceria nos arredores de Roma e ocuparia a cidade, prendendo o rei e toda a sua família, assim como Badoglio e seus sequazes. Feito isto, trariam esses "patifes" à Alemanha...

Desconfiado que o Vaticano apoiava a revolta contra Mussolini, o dinâmico Adolf, dirigindo-se a um assessor de Ribbentrop, afirmou:

— Eu me meterei dentro do Vaticano. Crê você que lhe dou importância? Vamos nos apoderar da Santa Sé, e desde o primeiro momento. Não é problema. Essa chusma — referia-se ao corpo diplomático — meteu-se lá dentro. Pois bem, arrancaremos dali esse bando de suínos. Depois poderemos apresentar desculpas.

Goebbels e Ribbentrop se opuseram a esse plano, devido aos efeitos maléficos que causariam no mundo inteiro.

O povo alemão estava inquieto, querendo saber notícias sobre o afastamento de Mussolini. Mas o setor de propaganda divulgou que o Duce renunciara por motivo de saúde. Os nazistas temiam a ação de elementos subversivos, receando que estes pudessem querer imitar Badoglio e os seus prosélitos.

Hitler, por medida de precaução, mandou reforçar a guarda do seu quartel-general.

Badoglio dissolvera o Partido Fascista e a ocupação da Sicília fora completada, com a captura de Messina. Mas não era tudo. Em breve se deu a invasão da Itália continental. Esta, em 3 de setembro de 1943, pediu armistício aos Aliados.

O mando supremo das tropas alemãs na Itália foi confiado a Rommel.

As cidades germânicas recebiam, cada vez mais, uma chuva arrasadora de bombas. A Luftwaffe tinha fracassado, estava desmoralizada. Na própria Alemanha corriam rumores sobre o paradeiro de Goering... Uns diziam que se havia suicidado. Outros afirmavam que fugira. O fato é que o *Reichsmarschall* não queria mostrar-se ao público.

A ofensiva alemã na região de Kursk, iniciada a 5 de julho, redundou em fracasso, permitindo os exércitos russos de reconquistarem Orel e Bielgorod.

Winston Churchill, enquanto isto, conferenciava em Quebec, no Canadá, com Roosevelt. Ambos adotaram o Plano Morgenthau, destinado a reduzir a Alemanha a uma nação exclusivamente agrícola.

A família ariana ideal, segundo os cânones nazistas

Hitler ao lado de uma menina loura, típica representante da raça ariana

Goebbels era partidário, nesta altura dos acontecimentos, de uma paz em separado, ou com Moscou ou com os anglo-saxões. Julgava muito difícil sustentar a guerra em duas frentes, ao mesmo tempo.

As tropas nazistas, comandadas por Kesselring, haviam contudo entrado em Roma, e a maior parte das cidades do norte da Itália se achava nas mãos dos alemães.

Um fato intrigou Hitler bastante: a morte de Boris III, rei da Bulgária, seu aliado, que pouco antes de falecer o visitara. Adolf estava convencido de que a princesa Mafalda, "a cadela mais falsa de toda a casa real italiana", tinha eliminado o monarca.

Com a morte de Boris desapareceu um dos elementos mais valiosos da "política de estabilidade" preconizada pelo nacional-socialismo.

Mussolini, que se encontrava preso num pequeno albergue montanhês, na parte mais alta dos Apeninos, foi libertado por paraquedistas alemães. Criou-se então um "Estado-fantoche" italiano, a República de Salò, no norte do país, governado pelo Duce sob a supervisão alemã.

A libertação de Mussolini e sua recondução ao poder não enterneceram a alma do Führer. Havia gostado muito mais do efeito político desse ato audacioso. Tanto assim que decidiu castigar a pátria do seu amigo, privando-a de toda defesa antiaérea.

A Itália o decepcionara. Compreendia, por fim, que ela não era uma potência "e que não seria nunca, no futuro", pois "havia abdicado de todos os seus direitos como povo e como nação".

Também o Duce lhe causara desilusão. Olhava-o, agora, com melhor senso crítico. Não se revelara um "verdadeiro revolucionário" como ele, Hitler. Caso contrário, "prepararia sua vingança contra os que o atraiçoaram". Estava tão unido e ligado ao povo italiano que lhe faltava "a visão universalista de um grande espírito transformador".

Secretamente Hitler acreditava, embora não tivesse provas, que Mussolini pensara, alguma ocasião, em abandoná-lo. Um discurso de Badoglio, declarando que o Duce havia acariciado esta ideia, aumentou as suas suspeitas. Quem nos informa isto é o próprio Goebbels, no seu diário.

Apesar das derrotas que o Reich vinha sofrendo, Hitler não abandonava os seus arrojados sonhos. Após a vitória da Alemanha, tencionava castigar a França, por ter ela provocado, em sua opinião, o início da luta. A terra do seu amigo Laval teria que voltar a suas fronteiras de 1500, isto é, perderia para o Reich a rica e formosa província da Borgonha.

O projeto de Hitler consistia em alargar as fronteiras da Alemanha até Veneza, incluindo esta cidade numa espécie de federação.

Ele ansiava, de vez em quando, pela paz, porquanto só em tempo de paz poderia colocar-se em contato, de novo, com os círculos artísticos e ir ao teatro de noite...

A grande ambição que continuava a alimentar era, porém, a de destruir o bolchevismo e a raça judaica. Queria "limpar" a Europa, liquidando os israelitas. Condenava, neste ponto, qualquer forma de sentimentalismo. Da eliminação física dos judeus dependia o progresso do Reich. Tudo que pudesse contribuir para esse objetivo merecia o apoio de Hitler. Chegou a proibir que se reduzisse a circulação do *Der Stürmer* ou que cessasse a sua publicação. O *Der Stürmer* era um periódico de caráter pornográfico e antissemita, editado por Julius Streicher, o incansável adversário dos judeus.

As relações entre o Führer e os seus generais não eram róseas. Sabe-se, hoje, que muitos deles desapareceram em circunstâncias misteriosas. O general Kurt von Schleicher foi assassinado. O mesmo teria sucedido ao general Ernst Udet, encontrado morto no seu escritório de Berlim, e ao general Werner von Fritsch, que sucumbiu ao chegar em Varsóvia. Este havia sido falsamente acusado da prática de homossexualismo. Outro escândalo foi o do marechal de campo Werner von Blomberg, que desposou, em 1938, uma mulher que posara para fotos eróticas. Hitler, que não considerava Blomberg um nazista muito convicto, usou isto como pretexto para afastá-lo da Wermacht.

Adolf desconfiava muito de certas figuras do Reich. Mandou a Gestapo vigiar o doutor Johannes Popitz, ministro prussiano da Fazenda. Envolvido no complô do ano seguinte para matar Hitler, Popitz acabou sendo executado.

* * *

O avanço aliado ia de vento em popa na Itália. Nápoles caiu e Badoglio fez o país declarar guerra à Alemanha.

Os russos expulsaram as tropas germânicas do Cáucaso e não tardaram a cortar a linha de retirada da Crimeia.

Vários centros industriais alemães sofriam terríveis bombardeios aéreos, sobretudo Hanôver, Bremen, Münster, Hagen, Schweinfurt e Frankfurt am Main.

Roosevelt, Churchill e Stalin exigiram do Terceiro Reich a rendição incondicional. Depois do conflito, a Alemanha e a Itália teriam de entregar os criminosos de guerra. A Áustria, conforme ficou deliberado, voltaria a ser independente.

Hitler, após o golpe de Estado que derrubou Mussolini, resolveu introduzir modificações na política interna do Reich. Albert Speer tornou-se ministro dos Armamentos e da Produção de Guerra, com absoluto controle nas matérias-primas. Speer, diga-se de passagem, era um técnico, todo entregue às suas tarefas, sem querer saber nada de política. Hitler o admirava muito. Himmler foi nomeado ministro do Interior, recebendo completos poderes para administrar a Alemanha.

Antes que 1943 terminasse, Adolf garantiu aos líderes nazistas que jamais capitularia, e que devolveria à Inglaterra todos os danos causados pelos bombardeios.

Na Rússia a situação dos alemães era calamitosa. Os soviéticos tinham cortado a linha alemã de abastecimentos que unia Vitebsk a Polotsk, além de terem esmagado, na Ucrânia, vinte e duas divisões germânicas.

Em 30 de janeiro de 1944, numa alocução que foi irradiada, Hitler asseverou:

"Já não se trata de saber se a guerra atual manterá o antigo equilíbrio de forças ou se o restabelecerá, e sim quem predominará no final desta luta; se a família europeia de nações, representada pelo estado mais forte, Alemanha, ou o colosso bolchevista... Nesta guerra só pode haver um vencedor, a Alemanha ou a União Soviética. A vitória da Alemanha equivale à conservação da Europa, a da União Soviética equivale à sua destruição."

A decadência física de Hitler, em 1944, acentuara-se bastante. Já se mostrava fatigado, precocemente envelhecido. Desde o ano anterior, aliás, sofria de um tremor dos membros, principalmente no braço esquerdo. Seria o começo da moléstia denominada paralisia agitante ou mal de Parkinson? Um sintoma das modificações degenerativas do seu cérebro?

Morell não parava de lhe dar estimulantes, que iam alterando, de maneira progressiva, o estado do seu organismo.

Em junho, dois dias antes do desembarque aliado na Normandia, o 5º Exército libertou Roma dos alemães.

Os russos, por seu turno, lançaram uma grande ofensiva no setor central.

Hitler alimentava a esperança de surgir uma desagregação entre os Aliados.

Rommel lhe observara que as forças alemãs na Normandia eram insuficientes e que a guerra precisava ter um fim, pelo menos no Oeste.

O coronel conde Claus von Stauffenberg liderou uma conspiração para assassinar o Führer, que ficou conhecida como Operação Valquíria

O Führer com um braço machucado após o atentado de 20 de julho de 1944; ao lado dele, da esquerda para a direita, estão o marechal Keitel, o comandante da força aérea Hermann Goering, e Martin Bormann, secretário particular de Hitler

— O senhor só deve preocupar-se com o seu setor militar — retrucou Hitler, azedamente. — É a mim que pertencem as decisões relativas ao prosseguimento da guerra.

A oposição ao ditador começou a crescer, em determinado grupo do Exército.

O conde Stauffenberg era um dos líderes principais desse movimento. Tinha perdido na Tunísia um braço e um olho. Seu aspecto incomodava Hitler, que possuía um sexto sentido para adivinhar certos perigos. Pedira informações a respeito do conde, mas estas foram boas. Mesmo assim não se tranquilizou. Qualquer coisa, na figura do militar, o inquietava.

No dia 19 de julho de 1944, com intuição diabólica, Adolf declarou aos seus secretários que experimentava um mau pressentimento. Acrescentou, porém, que nada lhe devia acontecer. Não possuía sequer o direito de cair doente, pois lhe faltava tempo.

Stauffenberg, como chefe do Estado-Maior do Exército de Reserva, compareceu no dia seguinte à conferência militar que se efetuava no quartel-general da Prússia Oriental. Viera por avião, de Berlim, trazendo na sua pasta de documentos uma bomba-relógio. Esta poderia estourar poucos minutos depois de ser acionada.

A conferência, em vez de ser realizada no subterrâneo de cimento, transcorria numa construção de madeira, chamada "Barraca dos Hóspedes".

Keitel introduziu Stauffenberg.

Em torno de uma espaçosa mesa de madeira achavam-se reunidos vinte e cinco homens, entre os quais Hitler, que se encontrava de pé, examinando mapas. Stauffenberg ficou perto do Führer e colocou, debaixo da mesa, a sua pasta de documentos, que continha a bomba-relógio, já em movimento. Feito isto, o conde saiu do recinto, alegando que precisava telefonar para Berlim.

Decorridos alguns minutos, uma explosão estrondosa abalou o local, fazendo o teto e as paredes desmoronarem.

O efeito da descarga fora pequeno, porque as janelas estavam abertas e, além do mais, a construção era de madeira.

Hitler, coberto de pó, com a pele chamuscada, ferido, saiu cambaleando pela porta. As primeiras palavras que pronunciou foram estas:

— Alguém deve ter lançado uma carga concentrada de fora.

Vários homens estavam mortos ou feridos. Ninguém havia compreendido, no entanto, o que ocorrera. Hitler se recompôs, depressa, e deu ordens para observarem silêncio absoluto sobre o acidente.

Von Stauffenberg já tinha embarcado para Berlim, onde anunciou oficialmente a morte de Hitler.

O doutor Von Hasselbach, tendo examinado o Führer, verificou que ele tinha uma ferida na mão esquerda, queimaduras superficiais nas duas pernas, um derrame sanguíneo no cotovelo direito, além de uma lesão nos dois tímpanos.

Apesar do abalo que sofrera, e do seu estado físico, Hitler compareceu à estação do quartel-general para receber Mussolini, que devia chegar às duas da tarde. O atentado ocorreu ao meio-dia e quarenta e cinco minutos. Explicou então ao Duce o que acontecera, dizendo que havia escapado ileso graças a um milagre da Providência.

— Após a maneira milagrosa como escapei hoje da morte, estou mais convencido do que nunca que meu destino é o de conduzir, até o êxito final, nossa comum empresa.

Mussolini concordou, fazendo um gesto afirmativo com a cabeça.

— Depois do que vi aqui — disse o Duce, referindo-se ao cenário da explosão — participo absolutamente do seu ponto de vista. Este foi um sinal do céu.

Às cinco horas da tarde, o grupo do Führer se reuniu para tomar chá. Ribbentrop e Doenitz, em breve, puseram-se a discutir com Keitel e Jodl. Os dois primeiros criticavam a classe dos generais, dizendo que haviam traído a Alemanha. Os dois últimos

Durante a Segunda Guerra Mundial, o governo nazista intensificou seus ataques antissemitas. Nessa caricatura de 1942, o judeu manipula a Inglaterra, os EUA e a Rússia, países que combatiam a Alemanha

Nesta edição do jornal antissemita *Der Stürmer*, judeus são retratados extraindo sangue de crianças cristãs para usá-lo em rituais religiosos

replicavam, condenando o almirante e o diplomata. Enquanto se engalfinhavam, Hitler e Mussolini não diziam nenhuma palavra. Graziani, ali perto, contava, repleto de empáfia, suas proezas na África. Em seguida a conversa se desviou para o complô de Roehm, de sanguinolento desfecho.

Hitler, que até então permanecera tranquilo, ergueu-se, num paroxismo de cólera, babando e vociferando:

— A Providência mostrou-me mais uma vez que fui escolhido para mudar a história do mundo! Hei de vingar-me! Os que se colocarem à minha frente serão destruídos, serão enviados aos campos de concentração. A minha lei é a do Talião: olho por olho, dente por dente!

Dollmann, o chefe das SS que acompanhavam Mussolini, presenciou a cena que estamos narrando e relatou-a mais tarde.

Hitler continuou a deblaterar, a bramir, pelo espaço de meia hora. Parecia uma fera cheia de sanha, saltando no interior de uma jaula.

Todos se conservaram mudos, assombrados, quando ele parou de se esgoelar. Mussolini dava impressão de estar embaraçado e Graziani quis romper o silêncio opressivo, ao encetar uma palestra com Keitel.

Foi neste momento que houve uma chamada telefônica de Berlim. Ainda transtornado, de fisionomia congesta, Hitler pegou o telefone e berrou:

— Que se fuzile todos, imediatamente! Onde está Himmler? Por que não chegou ainda?

Em seguida o Führer lançou esta afirmação espantosa:

— Começo a duvidar se o povo alemão é digno dos meus grandes ideais.

Ao ouvir isto, os presentes levantaram protestos de lealdade.

Hitler sentou-se e passou a tomar umas pastilhas coloridas.

Goering e Ribbentrop principiaram a discutir de forma violenta. A discussão se acalorou a tal ponto que Goering ameaçou o diplomata com seu bastão de marechal. Ribbentrop, ofendido, fez esta declaração:

— Sou, todavia, ministro das Relações Exteriores e meu nome é Von Ribbentrop!

À meia-noite e meia, entre os dias 20 e 21 de julho, após a agitada reunião que descrevemos, Adolf falou através do rádio ao povo germânico:

"Se hoje falo a vocês é, em primeiro lugar, para que possam ouvir a minha voz e saber que me encontro bem e sem dano. E, em segundo lugar, para informá-los de um crime sem paralelo na história da Alemanha. Uma pequeníssima quadrilha de oficiais ambiciosos, irresponsáveis e ao mesmo tempo insensatos e estúpidos, entrou em conspiração para eliminar a mim e ao superior comando das forças armadas. A bomba colocada pelo conde Von Stauffenberg arrebentou dois metros à minha direita. Um dos que me acompanhavam morreu. Outros colegas, que me eram muito queridos, ficaram com graves feridas. Quanto a mim, só sofri alguns arranhões, machucamentos e queimaduras sem importância. Considero isto como uma confirmação da tarefa que me foi imposta pela Providência."

Hitler acrescentou:

"O grupo destes conspiradores é muito reduzido e nada tem de comum com o espírito que anima a Wehrmacht alemã e, sobretudo, nada tem que ver em absoluto com o povo alemão. Em consequência, ordeno agora que nenhuma autoridade militar, nenhum comandante e nenhum soldado raso obedeçam qualquer ordem que emane desse grupo de usurpadores. Dou também ordem a todos para que os prendam, ou, se resistirem, que fuzilem nessa emergência todo aquele que não proceda ou não aja de acordo com tais determinações."

Concluiu, em seguida:

"Estou convencido de que o descobrimento dessa minúscula quadrilha de traidores e de sabotadores criou por fim, na retaguarda,

"O Futuro da Alemanha está na sua juventude."

25-8-1944

Caricatura de Belmonte

a atmosfera que necessita o fronte de combatentes. Desta vez ajustaremos as contas com eles, conforme a maneira que nós, os nazistas, costumamos empregar."

Os conspiradores haviam estabelecido negociações com os dirigentes das potências ocidentais. Eles foram submetidos, em sua maioria, a um julgamento sumário. O juiz Freisler era um nazista fanático e revelou, perante os acusados, um ódio irreprimível.

Carl Goerdeler, antigo burgomestre de Leipzig, que depois do golpe de Estado devia assumir as funções de chanceler, foi logo

Nesta charge de um jornal inglês, Hitler chora e esbraveja
enquanto o seu cãozinho Goebbels permanece fiel ao seu lado

executado. Outros o acompanharam, como o conde Stauffenberg, que não conseguiu escapar; o general Hoepner, que fora demitido por Hitler pouco antes do complô; o marechal Witzleben, que muito se distinguira durante a campanha de França, em 1940. E podemos mencionar, também, os generais Fromm, Olbricht e Stuelpnagel. Este último suicidou-se, o mesmo acontecendo ao marechal Rommel, que estava envolvido na conspiração. Entre os diplomatas que faleceram, devido às consequências do fracassado complô, figuravam o conde Schulenburg e Ulrich von Hassell. O

— Ai! Que saudades do tempo em que eu berrava e o mundo tremia!...

22-9-1944

Caricatura de Belmonte para a *Folha de S. Paulo*

almirante Canaris, chefe dos Serviços Secretos do Reich, mais o general Halder, foram enviados a campos de concentração.

Calcula-se hoje que a Gestapo, friamente dirigida por Himmler, teve oportunidade de encarcerar, só no caso deste atentado à vida de Hitler, umas cinco ou seis mil pessoas, e eliminar duzentas.

* * *

Os Aliados, cinco dias após o atentado, desfecharam uma ofensiva na Normandia.

A Alemanha já sofria incessantes ataques aéreos diurnos contra refinarias de petróleo e fábricas de armamentos.

Paris foi libertada pelos Aliados, que logo em seguida atravessaram o Marne e o Somme.

As tropas alemãs recuavam em todas as frentes. Abandonavam os Bálcãs, a planície danubiana, a Polônia, a Romênia, a Bulgária, a Grécia, a Hungria. Eram expulsas da França, da Holanda e da Bélgica.

O império de Hitler se esfacelava, caía aos pedaços.

Em fins de 1944, os russos já haviam avançado sobre a Prússia Oriental, e os norte-americanos pisavam no solo alemão, entrando em Metz, em Estrasburgo e Aachen.

Nas Ardenas, onde quatro anos e meio antes os germânicos alcançaram a sua vitória sobre o Ocidente, o Reich tentou, no início de 1945, um novo e desesperado golpe, mas, apesar dos seus recursos bélicos, foi obrigado a bater em retirada.

Bombas voadoras de grande poder destrutivo eram enviadas à Inglaterra pelos alemães, que prometiam lançar outras armas de efeitos terríveis, capazes de forçar a Grã-Bretanha a pedir a paz.

À medida que os seus inimigos ganhavam terreno, que se aproximavam para cercar a Alemanha, Hitler parecia estar cada vez mais sequioso de sangue.

Churchill, Roosevelt e Stalin na Conferência de Yalta, em fevereiro de 1945

Quando o general Reichenau lhe explicou, certa ocasião, que as perdas germânicas na Rússia haviam sido, infelizmente, muito elevadas, Adolf contestou:

— As perdas não são nunca demasiado altas, porque constituem a semente da futura grandeza.

Morell, o charlatão, ia fornecendo suas drogas ao Führer, que não podia prescindir delas. No mês de setembro de 1944, Hitler caiu de cama. Os médicos Von Hasselbach e Giesing constataram que ele estava sendo envenenado pela estricnina contida numas pílulas receitadas por Morell. Tais pílulas, que Adolf tomava contra perturbações digestivas, afetaram o seu sistema vascular.

O doutor Brandt chamou a atenção de Hitler para a nocividade daquele remédio, mas viu-se afastado de suas funções, porque a confiança do ditador em Morell era absoluta. Brandt, que havia sido cirurgião de Adolf durante doze anos, foi preso, mais tarde, e condenado à morte no tribunal de Nuremberg.

Em janeiro de 1945, os russos desfecharam nova ofensiva na frente do Vístula. A Pomerânia caíra, sob as botas dos soviéticos. Estes penetraram também na Silésia.

Stalin, Churchill e Roosevelt conferenciaram em Yalta, combinando as derradeiras medidas para destroçarem o Reich.

As grandes cidades da Alemanha iam sendo conquistadas: Colônia, Bonn, Coblença, Mogúncia, Frankfurt am Main, Mannheim, Dantzig...

Hitler vivia num profundo estado de depressão. Ele se achava reduzido a uma ruína física. Sua mão tremia sempre. Arrastava o pé, amparado a uma bengala. Dava impressão de senilidade. Morell lhe fornecia sedativos e narcóticos, principalmente Luminal, pois as insônias o martirizavam, impedindo-o de dormir até durante o dia.

Para confortá-lo, Goebbels lhe fez a leitura, antes do dia 12 de abril, de um trecho da *História de Frederico, o Grande*, de Carlyle:

"Rei valoroso! Espera um pouco e terminarão os dias do teu sofrimento. O sol da tua boa fortuna já está se levantando por trás das nuvens e pronto se deixará contemplar por ti."

Hitler ficou com os olhos marejados de lágrimas ao ouvir esta passagem do historiador inglês.

No dia 13, Goebbels soube que Roosevelt, na véspera, tinha falecido. Sentiu-se em êxtase, no auge da felicidade, do deslumbramento. Pediu champanha da melhor, para comemorar. E muito excitado, alegre, telefonou ao Führer:

— Eu o felicito, meu Führer! Roosevelt morreu. Está escrito nas estrelas que a segunda metade de abril marcará para nós a curva decisiva. Hoje é sexta-feira e 13 de abril. É o dia em que as coisas tomaram novo rumo.

Mas as coisas não tinham adquirido aspecto diferente, conforme supunha o pequeno doutor Goebbels. Naquele mesmo dia, quando se mostrava tão eufórico, os russos tomaram Viena.

Na segunda quinzena, os acontecimentos desmentiram o seu otimismo. Os americanos entraram em Nuremberg, cidade tão estimada pelos nazistas, e os soviéticos, em avalanche, lançaram pesada ofensiva contra Berlim.

No dia 20, que era a data do aniversário de Hitler, mil aviões norte-americanos sobrevoaram a capital alemã. Ele, no abrigo da Chancelaria, ficou ouvindo os silvos e os estouros das bombas.

Hitler e a pregação da violência, de Diego Rivera, 1933

19

Final wagneriano, banhado em sangue, mergulhado em fogo, ao som dos bombardeios

itler planejou então o chamado Ataque Steiner, que deveria ser lançado contra os subúrbios do sul de Berlim. Todos os recursos bélicos participariam da investida. Nenhum soldado poderia fugir. Suas ordens foram bem claras:

— Qualquer oficial que reserve os seus homens será fuzilado antes das cinco horas.

A ofensiva, porém, não chegou a iniciar-se.

Eva Braun foi procurá-lo e disse que permaneceria com ele até o fim. De nada valeram os protestos de Hitler. Ela estava firmemente decidida. Queria provar, no momento supremo, a sua absoluta lealdade.

No dia 22 de abril, celebrou-se uma conferência nos subterrâneos da Chancelaria, no formidável *bunker* mergulhado a cinquenta pés debaixo da terra. Achavam-se presentes as seguintes pessoas: Hitler, Keitel, Jodl, Bormann, Burgdorf e dois taquígrafos.

Keitel fez um relato da situação militar. Discutiu-se o Ataque Steiner, que não se realizou. Comentou-se a ausência da Luftwaffe. Dias antes Hitler dissera:

— Deveríamos fuzilar, um por um, os chefes da Luftwaffe, e tudo mudaria.

As notícias transmitidas durante a conferência foram desagradáveis. Os russos entravam em Berlim pelo norte.

A cólera se apoderou de Adolf. Disse que o Exército havia fracassado. Só existiam traidores, covardes, mentirosos. Todos eram incompetentes. O fim tinha chegado. Esfacelara-se o Terceiro Reich e a ele, o seu criador, restava somente a morte.

Hitler abateu-se sobre a mesa, sacudido por estremecimentos, derramando ardentes lágrimas.

Serenando um pouco, disse que não se afastaria de Berlim. Pretendia dirigir a defesa da capital e, na última hora, suicidar-se-ia com um tiro. Em virtude do seu péssimo estado físico, não podia participar da luta. E, além do mais, se o fizesse, correria o risco de cair nas mãos do inimigo.

Todos protestaram. Alguém observou, horas depois, que se podia tirar tropas do Oeste para lutarem no Este...

— Tudo está caindo em pedaços — redarguiu o Führer —, já não posso fazer coisa alguma. Isto compete a Goering, o marechal do Reich.

Um dos presentes salientou que nenhum soldado pelejaria por Goering. Hitler retrucou:

— O senhor fala em pelejar? É pouco já o que resta de luta. E se se trata de negociar, o marechal do Reich está em melhores condições do que eu.

Ribbentrop ainda telefonou ao *bunker*, dizendo que depositava esperanças num ato diplomático por ele planejado, mas Hitler, sem alento, não lhe deu ouvidos. Jodl e Keitel tentaram dissuadi-lo.

— Tomei uma determinação e não posso mudá-la.

Os dois generais deixaram Berlim e Hitler mandou buscar Goebbels e sua família.

As granadas russas caíam perto da Chancelaria.

Himmler também lhe telefonou, procurando convencê-lo a mudar de ideia. O Führer, no entanto, permaneceu insensível. Volta e meia, aos que lhe faziam visitas, ele clamava:

— Todo mundo me mentiu! Ninguém disse a verdade! As forças armadas me enganaram!...

Gottob Berger, um dos chefes das SS, que presenciou um desses destemperos, deixou-nos este depoimento:

"Gritava com força, cada vez mais. Logo a sua cara empurpureceu. Acreditei que ia dar-lhe, a qualquer momento, uma congestão. Tive a impressão, inclusive, de que havia sofrido um ataque, porque seu lado esquerdo... porém, não podia vê-lo com nitidez. Mantinha imóvel o braço esquerdo, que há uma quinzena se movimentava com facilidade. E parecia que não pisava muito bem com o pé, do mesmo lado. Muito menos a mão esquerda podia manejá-la como de costume. Só movia a mão direita."

Durante a entrevista que manteve com Hitler, esse tal Berger falou sobre os prisioneiros de guerra americanos e ingleses que estavam recolhidos num campo de concentração, situado a oeste. Abordaram, igualmente, outros assuntos, como o problema dos separatistas austríacos e bávaros.

Berger se despediu. Hitler levantou-se, com o corpo a tremer da cabeça aos pés.

— Fuzile-os! Fuzile-os todos! — berrava o tirano.

O séquito do Führer estava reduzido a poucas pessoas: Martin Bormann, Heinz Linge, que era o seu *valet de chambre*; o cirurgião Stumpfegger; os generais Burgdorf e Krebs; Fegelein, cunhado de Eva Braun; Axmann, chefe da Juventude Hitlerista; Morell, e ainda alguns auxiliares.

Quem quisesse ir embora teria trânsito livre, assegurou Adolf. Um dos que primeiro se aproveitaram dessa licença foi o doutor Morell.

— Creio que já não necessitarei de suas drogas — lhe disse Hitler.

Morell, ocultando a satisfação, correu ao aeródromo.

O general Koller, em 23 de abril, apresentou a Goering um relato das deliberações adotadas na conferência do dia anterior. Goering interpretou erroneamente a frase de Hitler, quando este afiançou que o marechal do Reich estava em melhores condições de negociar do que ele, o Führer.

Julgou Goering que fora designado o seu sucessor, conforme já ficara estabelecido pelo decreto de junho de 1941. Por isto enviou a Hitler a seguinte mensagem:

Meu Führer:

Em vista da sua resolução de continuar no seu posto, dentro da fortaleza de Berlim, diga-me se está de acordo que eu tome, imediatamente, a total direção do Reich, com plena liberdade de ação no interior e no exterior, como substituto seu, e de acordo com o decreto de 29 de junho de 1941. Se não receber resposta antes das dez desta noite, darei por suposto que perdeu a sua liberdade de ação, considerarei cumpridos todos os requisitos do decreto e atuarei tendo em conta os melhores interesses do nosso país e do nosso povo. Já sabe quais são os meus sentimentos nesta hora, a mais grave de sua vida. Não encontro palavras adequadas para me expressar. Que Deus o proteja e logo possamos vê-lo de novo entre nós, apesar de tudo!

Seu leal
HERMANN GOERING

Assim que esta mensagem chegou ao subterrâneo da Chancelaria, o furtivo Bormann, inimigo de Goering, classificou-a de ultimato. Hitler se enfureceu e expressou-se em termos duros a respeito do marechal. Sabia, há muito tempo, que ele estava corrompido pelo luxo e pelos afrodisíacos. Ordenou que Goering fosse destituído de todos os seus cargos, perdendo também o direito de sucedê-lo.

— Um ultimato! — bradou Hitler. — Um torpe ultimato! Nada resta já! Tenho que sofrer tudo. Não há deslealdades, nem faltas de honra, nem desenganos de que não me tenham feito vítima. Nem há traições que eu não tenha suportado... E agora, acima de tudo, isto. Nada resta já. Fizeram-me todo o mal que se podia fazer.

Hitler declarou estas palavras, com lágrimas nos olhos, à aviadora Hanna Reitsch, uma nazista fanática, famosa piloto de provas, que fora visitá-lo.

Pouco depois, naquela mesma noite, Adolf chamou a aviadora e lhe entregou um frasco de veneno, dizendo:

— Hanna, você se inclui entre os que estão destinados a morrer comigo. Todos já têm um frasquinho como este, de veneno. Não quero que nenhum de nós caia vivo nas mãos dos russos, nem desejo que descubram os nossos cadáveres.

Mas Hitler lhe confiou a sua última esperança: o exército do general Wenck vinha do sul. Provavelmente faria os soviéticos retrocederem, a fim de que o povo alemão pudesse ser salvo.

A atmosfera do *bunker*, porém, ia tornando-se cada vez mais sombria. Lá fora estava Berlim em escombros. O sangue corria pelas ruas. As bombas rebentavam. Ouvia-se o matracolejar das metralhadoras, o ruído pesado dos tanques, o estouro ensurdecedor das granadas. Uma fumaça negra, espessa, envolvia a capital. Os esqueletos de muitas casas se desconjuntavam, calcinados pelas chamas. O ambiente era apocalíptico.

Hitler já vivia uma existência irreal. Movimentava divisões inexistentes, dispunha de exércitos imaginários. Fascinava, com seus olhos de felino, aqueles que se aproximavam dele. Parecia um feiticeiro, um ente satânico, a regalar-se num festim de sangue, de loucura e de sofrimento.

Onde andava Wenck? Por que não aparecia?

Telegramas contínuos de Adolf saíam do *bunker*.

Que está fazendo o exército de Heinrich?

Ou então:

Espero imediato socorro de Berlim.

Que ocorre ao 9º Exército?

Traição! Hitler julgava-se traído, era apenas isto! Todos o abandonavam, menos a sua cadelinha Blondi e Eva Braun, que o lastimava:

— Pobre, pobre Adolf, abandonado por todos, atraiçoado por todos! Quanto melhor seria que morressem dez mil dos outros e que a Alemanha não o perdesse!

Mas o "bruxo" não havia sido abandonado completamente. O seu magnetismo satânico ainda escravizava um pequeno grupo de pessoas.

Influenciado pelo general Schellenberg, o sinistro Himmler tentou entabular negociações de paz com as potências ocidentais. Mas estas se recusaram a uma paz em separado e exigiram a rendição incondicional.

Himmler passara por cima da autoridade de Hitler. Não lhe dera a mínima satisfação. O seu gesto correspondia, claramente, a uma traição.

O golpe que Hitler recebeu foi cruel. Heinrich, o seu fiel Heinrich, em quem depositava uma cega confiança, o havia apunhalado pelas costas! Ao saber da notícia, Adolf gritou como louco. A sua cara, avermelhada pela ira, ficou irreconhecível.

O representante de Himmler junto a Hitler chamava-se Fegelein. Este quis escapar do subterrâneo, de modo cauteloso, mas fora preso em flagrante e detido. Submeteram-no a um severo interrogatório, para confessar o que sabia a respeito das negociações de Himmler. Após isto, levaram-no ao pátio da Chancelaria e o fuzilaram. De nada lhe adiantou ser casado com a irmã de Eva Braun...

O sangue de Fegelein saciou um pouco o furor do Führer. Este, depois, foi à procura do aviador Greim, no seu aposento. Deu-lhe ordens para organizar um ataque da Luftwaffe contra as posições russas que ameaçavam a Chancelaria. Em seguida, mandou-o deter o "traidor Himmler". Ao pronunciar o nome do chefe dos Guardas Negros Nazistas, sua voz mudou de timbre, endureceu. As mãos estremeceram e ele vociferou:

— Um traidor não pode suceder-me como Führer! Você tem que me garantir que isto não sucederá.

Já que o fim se aproximava, Hitler resolveu casar-se com Eva Braun. O matrimônio se efetuou às três da madrugada do dia 29. Quem os uniu, em cerimônia simbólica, foi um inspetor municipal, chamado Walter Wagner, que Goebbels tinha trazido ao *bunker*.

As formalidades do casamento foram sumárias. Os cônjuges declararam que não padeciam de nenhuma enfermidade hereditária e que possuíam sangue ariano, puro. Goebbels e Bormann serviram de testemunhas.

Encerrada a cerimônia, o casal retirou-se para os seus aposentos. As duas secretárias de Hitler, mais Bormann, Goebbels e sua esposa, os auxiliares, a cozinheira, compareceram ao quarto dos recém-casados, para festejarem. Beberam champanha e ficaram a conversar, durante várias horas. Hitler afirmou aos presentes que tinha firme intenção de suicidar-se, pois o nazismo estava aniquilado e os seus melhores amigos se mostraram pérfidos, traidores.

Enquanto a festa prosseguia, Hitler passou com *frau* Junge, sua secretária, à habitação contígua, para ditar o seu testamento político.

"É falso que eu, ou alguém na Alemanha, quisesse a guerra de 1939 — declara ele, na primeira parte do testamento. — Aqueles que a desejavam e a instigavam eram unicamente os estadistas internacionais de ascendência judaica, ou que trabalhavam em favor de interesses dos judeus. Foram excessivos os oferecimentos que fiz para estabelecer um controle e uma limitação de armamentos — e a posteridade acabará por levá-los em conta — para que se carregue sobre mim a responsabilidade desta guerra. Tampouco desejei, jamais, que depois daquela fatídica primeira guerra mundial estalasse uma nova guerra com a Inglaterra ou com a América do Norte. Correrão os séculos, mas por entre as ruínas de nossas cidades e monumentos brotará o ódio contra os que, em última palavra, são os responsáveis por tudo: o judaísmo internacional e seus colaboradores..."

Reconhecemos, nestas linhas, o Hitler da juventude, dos tempos de miséria. O ódio é o mesmo. Ele não é culpado de nada: lança a culpa toda nos israelitas. A raça judaica, segundo ele, era "a autêntica e criminosa autora" da luta assassina.

"Depois de uma guerra de seis anos — continua Adolf — que será considerada algum dia pela História como a mais heroica e gloriosa manifestação da vontade de viver de um povo, não posso abandonar a cidade que é a capital desta nação. Como nossas forças são demasiado pequenas para rechaçar durante muito tempo os ataques do inimigo, e como nossa resistência vai sendo gradualmente destroçada por um exército de cegos autômatos,

— Chega, Adolfinha! Você já brincou muito com as bonecas. Agora eu vou levá-las de volta...

17-1-1945

Caricatura de Belmonte para a *Folha de S. Paulo*

— Caim! Caim! Que fizeste dos teus irmãos?

27-1-1945

Caricatura de Belmonte para a *Folha de S. Paulo*

eu desejo compartilhar o destino que milhões de outros aceitaram e continuo aqui, na cidade. Não cairei, porém, nas mãos de um inimigo que necessita de um novo espetáculo, exibido pelos judeus, para divertimento de suas massas histéricas. Resolvi, portanto, continuar em Berlim, e escolher voluntariamente a morte no instante em que acredite que a resistência do Führer e chanceler não pode continuar sendo defendida."

Na segunda parte do testamento, Hitler expulsa Goering e Himmler do partido e afasta-os de todos os seus cargos. Acusa-os de terem agido ilegalmente, de haverem prejudicado a Alemanha. Nomeava o almirante Doenitz como seu sucessor. Goebbels recebia o título de novo chanceler do Reich e Bormann passava a ser ministro do Partido Nacional-Socialista.

Seguiam-se outras nomeações e substituições, mas, no último parágrafo, a monomania de Adolf repontava:

"Ordeno sobretudo aos dirigentes da nação, e aos que se acham sob as suas ordens, o cumprimento escrupuloso das leis raciais e a oposição implacável ao envenenador universal de todos os povos: o judaísmo internacional."

Hitler, ao mesmo tempo, assinou um documento em que especificava as suas vontades. Declarou que ele e sua mulher decidiram morrer, para escapar à desonra de uma derrota ou de uma capitulação. Desejava que o seu corpo e o de Eva Braun fossem queimados imediatamente, no próprio local da Chancelaria.

No dia 29, correu a notícia da morte de Mussolini. Os guerrilheiros fuzilaram-no, juntamente com a sua amante Clara Petacci, às margens do lago de Como. Os cadáveres de ambos foram conduzidos a Milão e pendurados de cabeça para baixo na Praça Loreto, sob os apupos e escarros do populacho enfurecido.

O fim trágico do Duce deve ter impressionado fortemente o esposo de Eva Braun. Serviu talvez para firmá-lo em sua vontade. O seu cadáver e o da sua companheira deviam ser destruídos de tal forma que não se pudesse descobrir, depois, o menor vestígio deles.

Hitler ordenou ao professor Haase, seu antigo cirurgião, que desse veneno a Blondi, sua cadelinha predileta. Os outros cachorros do Führer foram liquidados a tiro.

Às suas secretárias, Adolf entregou cápsulas de veneno, a fim de serem usadas em caso de necessidade.

Os preparativos para a morte tiveram início. Cerca de duzentos litros de petróleo foram transportados para o jardim da Chancelaria.

Na manhã do dia 30, Hitler soube que os russos estavam próximos do edifício. Almoçou às duas da tarde, tranquilo, em companhia de suas secretárias e da sua cozinheira; depois, junto de Eva Braun, foi despedir-se de Goebbels, Bormann, Linge, *frau* Junge, *frau* Christian, *fraulein* Krüger e *fraulein* Manziarly. Estendeu a mão a todos, inclusive a diversos auxiliares mais humildes.

Logo após, Hitler e Eva Braun entraram em seus aposentos. Os outros ficaram no corredor, aguardando. Transcorridos ligeiros minutos, ouviu-se apenas um tiro.

Esperaram um pouco e abriram a porta dos aposentos. Viram Hitler estendido sobre o sofá, que se encontrava empapado de sangue. Tinha disparado um tiro no céu da boca. Eva Braun também se achava morta, no sofá. Preferiu envenenar-se.

O relógio marcava três horas e meia da tarde.

Dois homens da SS entraram no quarto e cobriram, com um manto, o corpo de Adolf. Carregaram-no para o jardim, bem como ao cadáver de Eva.

Por debaixo do manto, enquanto o transportavam, apareciam as pernas de Hitler, envoltas em pantalonas negras.

Os cadáveres foram colocados no chão, a curta distância da saída do *bunker*. Derramou-se petróleo em cima deles e atearam fogo.

Ao lado de Goering, Hitler
parece abatido, pouco antes de
se refugiar no *bunker*, de onde
não voltou a sair com vida

Nesse momento os russos intensificaram os seus bombardeios, fazendo as granadas estourarem na Chancelaria. Os oficiantes da cerimônia fúnebre correram a buscar abrigo na porta do refúgio. As chamas já devoravam os corpos.

Os homens, perfilados, fizeram uma saudação nazista. Em seguida, se dispersaram.

O fogo ia comendo os cadáveres. Labaredas nervosas dançavam, alegres, a sarabanda da morte. Hitler e Eva Braun ardiam no seu leito nupcial de chamas...

Em breves horas o turbilhão incandescente consumiu a maior parte dos cadáveres, deixando ver, de maneira nítida, os ossos das pernas de Hitler.

O cheiro repugnante da carne esturricada afugentava os curiosos.

Assim findou, também, o Terceiro Reich, incendiado e destruído pelos seus tenazes adversários, encurralado, à semelhança de um animal bravio, por todos os lados.

* * *

A 1º de maio de 1945, a notícia da morte de Hitler foi irradiada, tendo como fundo solene a música de Wagner.

Bormann desapareceu, após comunicar que Adolf nomeara Doenitz seu sucessor.

Quanto aos outros líderes nazistas, sabemos como encerraram suas vidas. Goebbels envenenou os seus filhos, matou a esposa com um tiro e suicidou-se.

Himmler, que procurou refúgio no quartel-general britânico, próximo de Hamburgo, onde ofereceu os seus serviços ao marechal Montgomery, também apelou para o suicídio.

Goering, que foi submetido a julgamento pelo Tribunal de Nuremberg, sendo condenado à forca, fez a mesma coisa, ingeriu uma cápsula de cianureto.

Ribbentrop acovardou-se durante o julgamento, procurando justificar todos os seus atos, mas foi executado.

O marechal Keitel, colaborador íntimo de Hitler e chefe do Supremo Comando da Wehrmacht, que assinou em Reims o armistício, pondo termo às hostilidades entre a Alemanha e os Aliados, sofreu idêntica condenação.

Outros nazistas, responsáveis por crimes vergonhosos contra a humanidade, tiveram destino semelhante.

* * *

O Terceiro Reich caracterizou-se pela selvageria, pela desumanidade, pela condenação dos eternos valores morais que devem compor o espírito do homem são.

Hitler foi um vândalo redivivo, o Anticristo. Ele, com sua ideologia estreita, perversa, tornou-se responsável pela morte de milhões de seres humanos. Banhou a Alemanha de sangue, cobriu-a de ruínas. Só espalhou ódio, miséria. Em vez de construir, destruiu. Não legou nada ao Universo, apenas o horror à tirania, à perseguição racial, aos mitos absurdos, nocivos, como o da pretensa superioridade da raça ariana.

A rigor, o louco e feroz ódio de Hitler aos judeus veio da estúpida teoria do francês Jacques Nicolas Augustin Thierry (1795--1856), que, sem nenhuma base factual, distinguia na França dois grupos: os aristocratas, descendentes dos francos, e os plebeus, descendentes dos gauleses romanizados. Na visão de Thierry, os aristocratas eram superiores aos plebeus. Inspirado nessa teoria absurda, carente de qualquer fundamento científico, outro francês, o conde de Gobineau (1816-1882), em sua famosa obra *Essai sur l'inegalité des races humaines*, publicada nos anos de 1853 e 1855, afirmou que a única raça pura é a raça ariana, sendo por este motivo superior às demais raças.

Singular ironia! A França, que com as teorias malucas de Thierry e Gobineau muito contribuiu para estimular o racismo apocalíptico de Adolf Hitler, foi invadida e esmagada pelas tropas desse ex-vagabundo das ruas de Viena, como se estivesse recebendo uma justa punição por ter gerado aqueles dois intelectuais racistas...

Albert Speer, arquiteto e ministro do Reich, pouco se envolveu com a
política nazista e por isso foi poupado da forca em Nuremberg

O grande propagandista do antissemitismo, Julius Streicher, foi condenado à morte por crimes contra a humanidade

Goering, Hess, Ribbentrop e Keitel na primeira fila, réus de acusação no Julgamento de Nuremberg

ANEXO

Hitler e Franco só tinham um testículo

No dia 1º de agosto de 1914, a Alemanha declarou guerra à Rússia. Foi o início da Primeira Guerra Mundial. Transcorridos quinze dias, o fanático Adolf Hitler juntou-se ao 16º Regimento de Infantaria da Reserva da Baviera, a fim de como voluntário lutar pela pátria de Bismarck. Os seus superiores o encarregaram de levar e trazer mensagens da frente de combate. Isto deixava Hitler sempre exposto na linha de fogo.

Durante a batalha do Somme, na França, em 7 de outubro de 1916, segundo um documento revelado em 2008, uma bala feriu o soldado Adolf Hitler no abdome e causou-lhe a perda de um dos testículos. O médico Johan Jambor, que o socorreu, ouviu esta pergunta do futuro ditador da Alemanha:

— Doutor, ainda poderei ter filhos?

Havia fundamento na indagação de Hitler, pois os testículos, em número de dois e situados na bolsa escrotal, são glândulas ovóides, responsáveis pela produção de espermatozóides e de hormônios masculinos, dos quais o principal é a testosterona. Desta depende a virilidade do homem e o desenvolvimento do seu pênis, influindo também no aparecimento da barba, do bigode, dos pelos do corpo. Sem a testosterona não existe a libido, a atividade sexual do macho da espécie humana.

Agora, amigo leitor, veja como há algo em comum entre o ditador alemão Adolf Hitler (1889-1945) e o ditador espanhol Francisco Franco (1892-1975).

Foi publicado na Espanha um livro sobre Franco, do historiador José Maria Zavala, com o depoimento da médica Ana Puigvert. Neta do doutor Antonio Puigvert, o urologista de Franco, ela contou a Zavala que o seu avô lhe disse que o caudilho nascido na Galícia, quando era capitão do exército no ano de 1916, recebeu uma bala na parte baixa do abdome, em El Biutz, ao defender o ex-protetorado espanhol de Ceuta, na costa do Marrocos. A bala fez Franco perder um dos seus testículos, afirmou o doutor Antonio Puigvert.

Vejam a coincidência. Tanto Hitler como Franco, dois ditadores do século XX, ficaram sem um testículo no mesmo ano, em 1916!

Pequenas causas, grandes efeitos. Blaise Pascal garantiu que se o nariz de Cleópatra tivesse sido mais curto, toda a história do nosso planeta mudaria. Portanto, se a egípcia fosse feia, jamais fascinaria o general Marco Antônio (83?-30 a.C.). O nariz de Cleópatra alterou a história do Império Romano, como um grãozinho de areia na uretra de Cromwell (1599-1658), salienta o referido Pascal, após causar a sua morte, metamorfoseou a história da Inglaterra...

Na minha opinião, a falta de um testículo na bolsa escrotal de Hitler gerou um avassalador complexo de inferioridade no seu espírito demoníaco, e então o Führer do Terceiro Reich, na ânsia de provar que tinha colhões, que era cem por cento macho, ordenou em 1938 a invasão da Áustria e da Tchecoslováquia; em 1939 a da Polônia; em 1940, a da Bélgica, da França, da Holanda, da Noruega, do Luxemburgo e da Dinamarca; em 1941, a da União Soviética.

A carência também de um testículo na pequena bolsa escrotal do nanico Franco despertou nele, sem dúvida, a incontrolável vontade de exibir o seu garboso porte de falso *cojonudo*, de tão *falso cojonudo* que até imaginava, suponho, *poner sus cojones encima de la mesa*. Eis por que o anão Franco, movido pelo desejo feroz de se vingar da perda de um *cojón*, realizou em 1917 a violenta repressão à greve dos operários das Astúrias; dirigiu em 1921 o bárbaro assalto a Ras Madua, no Marrocos; proclamou em 1936 o total estado de guerra nas Canárias; investiu com fúria selvagem, em 1938 e 1939, contra os "vermelhos" de Madri, de Valência e da Catalunha.

Graças a Deus, aqui no Brasil, depois do Golpe de 1964, ninguém meteu uma bala nos testículos dos ditadores Castelo Branco, Costa e Silva, Médici, Geisel e Figueiredo. Se tivessem ficado *descolhonados* (o neologismo é meu), aumentaria por ordem deles o número de espancamentos, de torturas e de assassinatos praticados durante os seus governos. Ufa, "antes assim que pior", ou como diz outro provérbio:

"Antes magro no mato que gordo no papo do gato".

BIBLIOGRAFIA

Aleotti, Luciano. *Hitler*. Arnaldo Mondadori Editore. Verona e Milão, 1972.

Alfieri, Dino. *Deux dictateurs face a face, Rome-Berlin, 1939- -1943*. Cheval Ailé. Genebra, 1948.

Angebert, Jean-Michel. *Hitler e as religiões da suástica*. Ipê. São Paulo, 1949.

Baynes, Norman H. *The speeches of Adolf Hitler, 1922-1939*. 2 vols. Oxford University Press, 1942.

Bénoist-Méchin, Jacques. *Histoire de l'armée allemande, 1919- -1936*. 2 vols. Albin Michel. Paris, 1938.

Bonnet, Georges. *Défense de la paix*. 2 vols. Cheval Ailé. Genebra, 1946-1948.

Brosse, Jacques. *Hitler antes de Hitler*. Artenova. Rio de Janeiro, 1972.

BULLOCK, Alan. *Hitler — Estudio de una tiranía.* 2 vols. Editorial Grisalbo. México D. F., 1955.

BUTLER, R. D. *The roots of National Socialism.* Faber. Londres, 1941.

CALVOCORESI, Peter. *Nuremberg.* Chatto & Windus. Londres, 1947.

CHURCHILL, Winston S. *The Second World War.* Vols. I-IV. Cassell. Londres, 1948-1952.

CLARK, R. T. *The fall of the German Republic.* Allen & Unwin

COULONDRE, Robert. *De Staline à Hitler, 1936-1939.* Hachette. Paris, 1950.

DALUCES, Jean. *Le Troisième Reich.* André Martel. Paris, 1950.

EISENHOWER, Dwight D. *Crusade in Europe.* Doubleday. Nova York, 1948.

FEST, Joachim. *The face of the Third Reich.* Pantheon Books. Nova York, 1970.

FISCHER, Louis. *Russia's road from peace to war.* Harper & Row. Nova York, 1969.

FRANÇOIS, Jean. *L'affaire Röhm-Hitler.* Gallimard. Paris, 1939.

FULLER, J. F. C. *The Second World War.* Eyre & Spottiswoode. Londres, 1948.

GAFENCU, G. *Derniers jours de l'Europe.* Egloff. Paris, 1946.

GUILLAUME, A. *La guerre germano-soviétique, 1941-1945.* Payot. Paris, 1949.

GUN, Nerin E. *Eva Braun-Hitler, leben und schicksal.* Blick & Bild Verlag. Berlim, 1968.

HEIDEN, Konrad. *A history of National Socialism.* Methuen. Londres, 1934.

HEINZ, Heinz A. *Germany's Hitler.* Hurst & Blackett. Londres, 1934.

HINSLEY, F. H. *Hitler's strategy.* Cambridge University Press, 1951.

HITLER, Adolf. *Mein Kampf.* Hurst & Blackett. Londres, 1939.

HULL, Cordell. *Memoirs.* 2 vols. Macmillan. Nova York, 1948.

JÄCKEL, E. *Hitler: idéologue.* Gallimard. Paris, 1973.

LÜDDE-NEURATH, Walter. *Les derniers jours du Troisième Reich.* Berger-Levrault. Paris, 1950.

LUDWIG, Emil. *Quatro ditadores.* Livraria do Globo. Porto Alegre, 1940.

MANVELL, Roger e FRAENKEL, Heinrich. *Goebbels.* Editora Aster. Lisboa, 1960.

MAUROIS, André. *Histoire des États-Unis.* Hachette. Paris, 1968.

MOSLEY, Leonard. *O marechal do Reich – Biografia de Hermann Goering.* Editora Record. Rio de Janeiro, 1974.

MOURIN, M. *Les tentatives de paix, 1939-1945.* Payot. Paris, 1949.

MOURRE, Michel. *Dictionnaire d'Histoire Universelle.* 2 vols. Éditions Universitaires. Paris, 1968.

NEUMANN, Franz. *The structure and practice of National Socialism.* Lyndon & Co. Nova York, 1944.

NOËL, Léon. *L'agression allemande contre la Pologne.* Flammarion. Paris, 1945.

RAUSCHNING, Hermann. *Hitler speaks.* Thornton Butterworth. Londres, 1939.

REES, J. R. *The case of Rudolf Hess.* Heinemann. Londres, 1947.

REYNAUD, Paul. *La France a sauvé l'Europe.* 2 vols. Flammarion. Paris, 1945.

RIESS, Curt. *Joseph Goebbels.* Hollis & Carter. Londres, 1949.

ROSENBERG, Arthur. *History of the German Republic.* Methuen. Londres, 1936.

ROSSI, A. *Deux ans d'alliance germano-soviétique.* Fayard. Paris, 1949.

ROTHFELS, Hans. *The German opposition to Hitler.* Henry Regnery. Hinsdale, 1948.

SCHEELE, Godfrey. *The Weimar Republic.* Faber. Londres, 1946.

SHIRER, William. *A Berlin diary.* Hamish Hamilton. Londres, 1941.

_____ *Ascensão e queda do Terceiro Reich.* Editora Civilização Brasileira. Rio de Janeiro, 1962.

SOUCHÈRE, Éléna de la. *Le racisme en 1000 images.* Pont Royal. Paris, 1967.

TOLAND, John. *The last 100 days.* Random House. Nova York, 1966.

TOSCANO, M. *Le origini del Patto d'Acciaio.* Sansoni. Florença, 1948

TREVOR-ROPER, H. R. *The last days of Hitler.* Macmillan. Londres, 1950.

VALLEJO-NÁGERA, Juan Antonio. *Locos egregios.* Editorial Dossat. Madri, 1978.

WAGNER, Ludwig. *Hitler, man of strife.* Norton & Co. Nova York, 1942.

YOUNG, Desmond. *Rommel.* Collins. Londres, 1950.

CRÉDITOS DAS IMAGENS

pp. 1, 114-5, 162, 274, 303: U.S. Holocaust Memorial Museum

pp. 34, 118, 128-9: Life Magazine

p. 170: U.S. Army Center of Military History

pp. 179, 304-5: WWII War Crimes Records

pp. 182-3: OWI

pp. 192-3, 227: Library of Congress

pp. 201, 278, 280, 295: Agência Folha

pp. 282-3: U.S. Department of Defense

ÍNDICE ONOMÁSTICO

Os números de páginas em *itálico* referem-se a imagens

Streicher, Julius, 102, *104*, 106, 113, 121, 136, 152, 265, *303*
Stresemann, Gustav, 116-7, 138-9
Stuelpnagel, Carl-Heinrich, 279
Stumpfegger, Ludwig, 289
Sturmlechner, *44*

T

Tanev, Vassili, 155
Timoshenko, Semyon, 243
Thierry, Nicolas Augustin, 300-1
Thyssen, Fritz, 153
Tilot, doutor, 222
Torgler, Ernst, 155

U

Udet, Ernst, 265

V

Vítor Emanuel III, *201*, 260
Vladislau I, 191

W

Wagner, Richard, *38-9*, 125, 299
Wagner, Walter, 120, 123, 293
Weber, Friedrich, 121, 123
Wenck, Walther, 291-2
Weygand, Maxime, 207
Wilson, Woodrow, 153
Wirthe, Christian, 222
Witzleben, Erwin von, 279
Wolff, Karl, 77

Y

Young, Desmond, 237
Young, Owen D., 139

Z

Zakreys, 63
Zavala, José Maria, 308
Zeller, 112

INFORMAÇÕES SOBRE A
GERAÇÃO EDITORIAL

Para saber mais sobre os títulos e autores
da **GERAÇÃO EDITORIAL**,
visite o *site* www.geracaoeditorial.com.br
e curta as nossas redes sociais.

Além de informações sobre os próximos lançamentos,
você terá acesso a conteúdos exclusivos
e poderá participar de promoções e sorteios.

🏠 geracaoeditorial.com.br

f /geracaoeditorial

🐦 @geracaobooks

📷 @geracaoeditorial

Se quiser receber informações por *e-mail*,
basta se cadastrar diretamente no nosso *site*
ou enviar uma mensagem para
imprensa@geracaoeditorial.com.br

GERAÇÃO EDITORIAL

Rua Gomes Freire, 225 – Lapa
CEP: 05075-010 – São Paulo – SP
Telefax: (+ 55 11) 3256-4444
E-mail: geracaoeditorial@geracaoeditorial.com.br